D0411326
JA DE
HIERBAS AROMÁTICAS
DESPACHO
DEL RECTOR
TORRE
DEL SUR
COMEDOR
AULA MAGNA
RATFORD
ESCALINATA
DE LOS MAPAS
RATFORD

Bienvenidos
al mundo del

Este libro
pertenece a:

¡Hola, soy Tea!

Sí, soy yo, Tea Stilton, la hermana de *Geronimo Stilton*. Soy enviada especial de **El Eco del Roedor**, el periódico más famoso de la Isla de los Ratones. Me encantan las aventuras y los viajes... ¡me gusta conocer a personas de todo el mundo!

Me licencié en la Universidad de Ratford, a la que volví luego como profesora. Allí conocí a cinco chicas muy especiales que en seguida se hicieron buenas amigas: Colette, Nicky, Pamela, Paulina y Violet. Como se llevaban muy bien conmigo, decidieron llamar a su grupo con mi nombre: el Club de Tea. Fue un detalle que me conmovió muchísimo. Y ahora he decidido contar sus aventuras: las aventuras superratónicas del...

¡CLUB DE TEA!

Nicky

Nombre: Nicky

Apodo: Nic

Lugar de nacimiento: Oceanía (Australia)

Su sueño: Dedicarse a la ecología

Lo que más le gusta: Los espacios abiertos y la naturaleza

Cualidades: Siempre está de buen humor... ¡le basta con estar al aire libre!

Defectos: No puede estar quieta ni un minuto

Secreto: Padece claustrofobia... ¡no soporta los espacios cerrados!

Nicky

Colette

Nombre: Colette

Apodo: Cocó

Lugar de nacimiento: Europa (Francia)

Su sueño: Es muy presumida. Su sueño es convertirse en periodista especializada en moda

Lo que más le gusta: Siente verdadera pasión por el color rosa

Cualidades: Es muy decidida y le gusta ayudar a los demás

Defectos: Siempre llega tarde

Secreto: Para relajarse, se lava y seca el pelo o se hace la manicura

Colette

Violet

Nombre: Violet

Apodo: Viví

Lugar de nacimiento: Asia (China)

Su sueño: Convertirse en una gran violinista

Lo que más le gusta: Estudiar. ¡Es una auténtica intelectual!

Cualidades: Es muy rigurosa y le gusta aprender cosas nuevas

Defectos: Es un poquito rencorosa y no soporta que le tomen el pelo. Si no duerme lo suficiente, no se puede concentrar

Secreto: Para relajarse escucha música clásica y bebe té verde aromatizado con frutas

Violet

Paulina

Nombre: Paulina

Apodo: Pilla

Lugar de nacimiento: América del Sur (Perú)

Su sueño: Ser científica

Lo que más le gusta: Viajar y conocer gente de todo el mundo. Está muy unida a su hermana menor, María

Cualidades: Es muy altruista

Defectos: Es más bien tímida y se mete en algún que otro lío

Secreto: ¡El ordenador no tiene secretos para ella! Es capaz de resolver casos complicadísimos gracias a las informaciones que encuentra en Internet

PAULINA

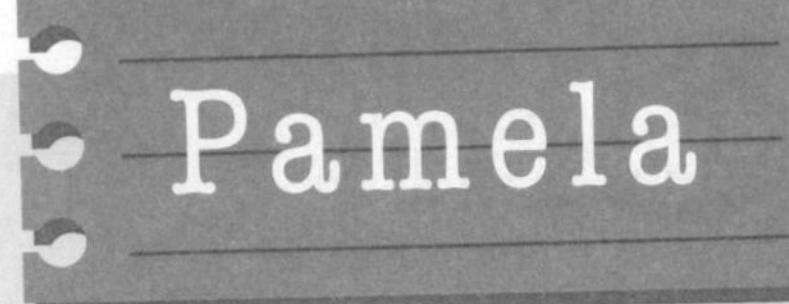

Nombre: Pamela

Apodo: Pam

Lugar de nacimiento: África (Tanzania)

Su sueño: Ser periodista deportiva o mecánica de coches

Lo que más le gusta: ¡Pizza, pizza y más pizza! La comería hasta para desayunar

Cualidades: Aunque sus modales son algo bruscos, es la pacifista del grupo. ¡No soporta las peleas ni las discusiones!

Defectos: Es muy impulsiva

Secreto: Dadle un destornillador y una llave inglesa, y solucionará cualquier avería mecánica

¿QUIERES UNIRTE AL CLUB DE TEA?

____

¡ESCRIBE AQUÍ TU NOMBRE!

Nombre: __________

Apodo: ____________

Lugar de nacimiento: ____________________

Tu sueño: ______________________________

____

____

Lo que más te gusta: ____________________

Cualidades: ____________________________

____

Defectos: ______________________________

Secreto: _______________________________

____

Textos de Tea Stilton
Ilustraciones de Máximo Asaro, Lucia Balleti, Alessandro Battan, Fabio Bono, Jacopo Brandi, Sergio Cabella, Barbara Di Muzio, Giorgio Di Vita, Marco Failla, Paolo Ferrante, Claudia Forcelloni, Danilo Loizedda, Giada Perissinotto, Manuela Razzi, Federica Salfo *y* Luca Usai
Diseño gráfico de Merenguita Gingermouse y Superpao con la colaboración de Michela Battaglin

Título original: *La montagna parlante*

Destino Infantil & Juvenil
destinojoven@edestino.es
www.destinojoven.com
Editado por Editorial Planeta, S. A.

Primera edición: octubre de 2008
ISBN: 978-84-08-07811-1
Depósito legal: B. 35.539-2008
Impreso por Cayfosa
Impreso en España – Printed in Spain

LA MONTAÑA PARLANTE

¡Hola, amigos!

¿QUERÉIS AYUDAR AL CLUB DE TEA A RESOLVER EL MISTERIO DEL CÓDIGO DEL DRAGÓN?

NO ES DIFÍCIL, SÓLO DEBÉIS SEGUIR TODAS LAS INDICACIONES.

CUANDO VEÁIS ESTA LUPA, PRESTAD ATENCIÓN: SIGNIFICA QUE EN ESA PÁGINA HAY UNA PISTA IMPORTANTE.

DE VEZ EN CUANDO, HAREMOS UN REPASO DE LA SITUACIÓN PARA QUE NO OLVIDÉIS NADA.

¿ESTÁIS LISTOS?

¡EL MISTERIO OS ESPERA!

Libros para leer y libros para escribir

Esa noche me apetecía quedarme tranquilamente en casa.

—¡Qué ganas tengo de leer un buen libro! —me dije.

Empecé a recorrer los títulos que tenía en la estantería: 'En busca del gorgonzola perdido'

¡Ya lo había leído!

'QUESITOS BORRASCOSOS'

¡Leído y releído!

'La isla del queso fundido'

¡Leído, releído y requeteleído!

Al final, decidí salir a comprarme un libro nue-

vo. En ese momento, sonó el timbre repetidamente:

¡Din-don! ¡Din-don! ¡Din-don!

Al otro lado de la puerta oí una voz **estridente**:

—¿Cuánto voy a tener que esperar, eh? ¿Hay alguien en casa? ¡Si hay alguien, que abra! Si no hay nadie, **¡DÍGALO! ¡DÍGALO! ¡DÍGALO!**

—¡Porfirio! —exclamé alegremente mientras le abría la puerta.

Esa voz sólo podía ser la del simpático y gruñón **Porfirio Chaparro**, el cartero de **RATFORD**. Mi querida Universidad de Ratford, en la Isla de las Ballenas, donde me licencié y viví momentos muy felices.

Porfirio había venido a Ratonia para entregarme un paquete amarillo atado con un *lazo* rosa.

PORFIRIO CHAPARRO

En la parte superior del paquete, habían escrito:

Para nuestra querida amiga y profesora
Tea Stilton

Y, a continuación, cinco firmas que conocía muy bien:
Colette, Nicky, Pamela, PAULINA, Violet.
¡Qué agradable sorpresa!
El paquete me lo enviaban mis alumnas predilectas, el **CLUB DE TEA**. ¡Eran cinco chicas estupendas! Las conocí en Ratford, cuando fui a impartir un curso de periodismo de aventura. ¡Las cinco sacaron las notas más altas en el examen!
Me despedí de Porfirio, que tenía prisa por volver a casa, y corrí a abrir el paquete.
Contenía un precioso **jersey** de lana y una carta

muy LAAAAAAAAAAAARGA.
Me probé el jersey... ¡Me quedaba que ni pintado!
¡Y era tan suave!
Así, envuelta en ese cálido abrazo, me acurruqué en el sofá y empecé a leer la *carta* que me habían escrito las chicas. Al llegar a la mitad de la segunda página, ya sabía cómo iba a pasar el resto de la velada... Por fin había encontrado un libro nuevo, pero era... ¡un libro **por escribir**!
Un libro sobre la nueva e increíble aventura del Club de Tea.
Seguro que ya habéis adivinado cuál es el título...
Sí, habéis acertado:

¡LA MONTAÑA PARLANTE!

Pamela
Colette
Nicky
Violet
Paulina
Mis amigas, el Club de Tea

Una llamada desde Australia

Nicky

Todo empezó con una llamada que recibió Nicky desde Australia. Al otro lado de la línea estaba NAYA,* su tata aborigen:

—Nicky, no quisiera molestarte... Sé que tienes que estudiar... pero tus padres están en Europa y no consigo localizarlos.

Nicky IRGUIÓ las orejas alarmada. No fue por las palabras de su querida tata, sino por su tono de voz: estaba segura de que había sucedido algo grave.

—Querida Naya, cuéntamelo todo —le pidió esforzándose por mantener la calma.

NAYA

Naya, en lengua aborigen, significa 'tata'

Tras un largo suspiro, Naya empezó a hablar:

—Aquí, en la granja, ocurren cosas muy raras. Las ovejas del vallado central están enfermas. La lana se les cae a mechones, que *vuelan como* espuma sacudida por el viento.

Un escalofrío recorrió la espalda de Nicky. Tomó una determinación:

—Prepárame la habitación, Naya. ¡Iré en seguida a ayudarte!

Mientras llenaba su mochila, Nicky se lo contó a sus amigas.

Paulina, Violet, Pamela y Colette intentaron convencerla de que no debía **PRECIPITARSE**.

LOS ABORÍGENES AUSTRALIANOS

Los aborígenes son los habitantes originarios del continente australiano. ¡Hace 40.000 años que viven en Australia! Sin lugar a dudas, conocen cada pedazo de su tierra. Para cruzar bosques y desiertos, los aborígenes no utilizan mapas, sino canciones muy antiguas que describen el paisaje paso a paso. Por eso, las 'sendas' de los aborígenes se llaman 'caminos de los cantos'. Los ancianos de las tribus que les enseñan esos 'caminos de los cantos' a los niños se llaman 'trakker'.

Pero cuando comprendieron que Nicky estaba decidida a marcharse, no perdieron más tiempo hablando. Sabían exactamente lo que debían hacer.

¡Por algo eran amigas!

Más que amigas... ¡hermanas!

—¡VAMOS CONTIGO! —dijo PAULINA.

—¡Sí! ¡No vamos a dejar que vayas sola! —aprobó Violet.

—¿Desde cuándo una chica del Club de Tea va por ahí sin sus compañeras? —añadió Pamela, y le guiñó un ojo.

—¡Está decidido! —exclamó Colette—. ¡Hacemos el equipaje y nos vamos!

Nicky tenía los ojos llenos de **lágrimas**. ¡Qué amigas tan fantásticas había encontrado en Ratford!
Las abrazó **muy muy fuerte** una a una, incapaz de expresar con palabras lo que sentía en su corazón.
Las chicas fueron a pedirle al *Rector* de Ratford si les daba permiso para dejar la *Isla de las Ballenas*.

¡En marcha!

¿Os he hablado de *Octavio Enciclopédico de Ratis*, el Rector de **RATFORD**?
Es un ratón con un aire algo huraño, pero en el fondo tiene un corazón de oro. Y siempre está dispuesto a ayudar a sus alumnos.
Tras escuchar al **CLUB DE TEA**, el Rector se metió una pata dentro del chaleco (siempre que debe tomar una decisión IMPORTANTE hace ese gesto) y dijo:

—Queridas muchachas, como sabéis, no está permitido dejar la universidad durante el período de clases. Sin embargo, a veces hay *excepciones*...

OCTAVIO ENCICLOPÉDICO DE RATIS

¡Como en este caso! Vista la gravedad de la situación, os doy permiso para iros. PERO, PERO, PERO...
... cuando volváis, tendréis que examinaros, igual que los demás. O sea que... ¡recordad que debéis *estudiar*!

Las cinco chicas volvieron a sus habitaciones y prepararon el equipaje.

Al día siguiente, el día de la **partida**, el puerto estaba lleno de gente: el Rector, los profesores, los alumnos de la universidad y muchos habitantes de la isla.

¡Todos querían despedirse del Club de Tea!

Mientras el barco zarpaba, los hermanos Chaparro entonaron el *Canto del regreso feliz*:

Es la hora del adiós, que el viaje os sea favorable,
lleno de sonrisas amables.
Y que al regreso reine la alegría.
Os esperaremos de noche y de día
con galletas y quesitos,
pero ¡no olvidéis traernos regalitos!

RATINA

¿FALTA MUCHO? ¿YA LLEGAMOS?

Las chicas llegaron en barco a Puertorratón, en la Isla de los Ratones, y allí tomaron el avión hacia Australia.

¡PRÁCTICAMENTE EN LA OTRA PUNTA DEL MUNDO!

Pamela, emocionada, les preguntaba sin parar a Paulina y Violet, que estaban sentadas a su lado:

—**¿Falta mucho? ¿Ya llegamos?**

¿Falta mucho?
¿Ya llegamos?

Luego se asomaba a la cabina del piloto:

—**¿Falta mucho? ¿Ya llegamos?**

Y después interrogaba a todos los demás pasajeros:

—**¿Falta mucho? ¿Ya llegamos?**

Si se hubiera lanzado con paracaídas, le habría preguntado lo mismo a la primera gaviota que hubiese visto. Cuando aterrizaron en Sydney, la ciudad más grande del sudeste de Australia, todas tenían los nervios a flor de piel. Pamela, la única capaz de sonreír, exclamó:

—**¡POR FIN!** ¡Ya no podía más!

—¡¡¡Nosotros tampoco!!! —gritaron a coro los pasajeros (y también el piloto).

¿Ya llegamos?
?
¿Falta mucho?

¡SÓLO 400 KILÓMETROS!

Pero ¡el viaje no había terminado! En el aeropuerto, había **ALGUIEN** esperándolas.
Nicky agitó su sombrero en dirección a un guapo ratón que vestía pantalón y cazadora vaqueros. Estaba apoyado en una pequeña furgoneta

pintada con grandes flores amarillas, blancas y naranja.

Colette no podía creer lo que veían sus ojos.

—¡VAYA! ¡Por todos los pintalabios! —exclamó—. ¡Parece hecho aposta para mí!

Por supuesto, se refería a la furgoneta, no al ratón. Nicky hizo las presentaciones:

—Chicas, éste es Billy, el nieto de Naya, mi tata. Billy nos llevará a la granja.

Tras una hora de viaje, fueron Violet y Paulina quienes preguntaron:

—**¿Falta mucho? ¿Ya llegamos?**

Billy respondió con una sonrisa:

—¡Tranquilas! *Sólo* son unos... 400 kilómetros.

Colette se puso blanca:

—¿Cómo que **SÓLO** 400 kilómetros?

Billy señaló el horizonte.

—No olvidéis que Australia es un país inmenso. En Australia... ¡todo es relativo!

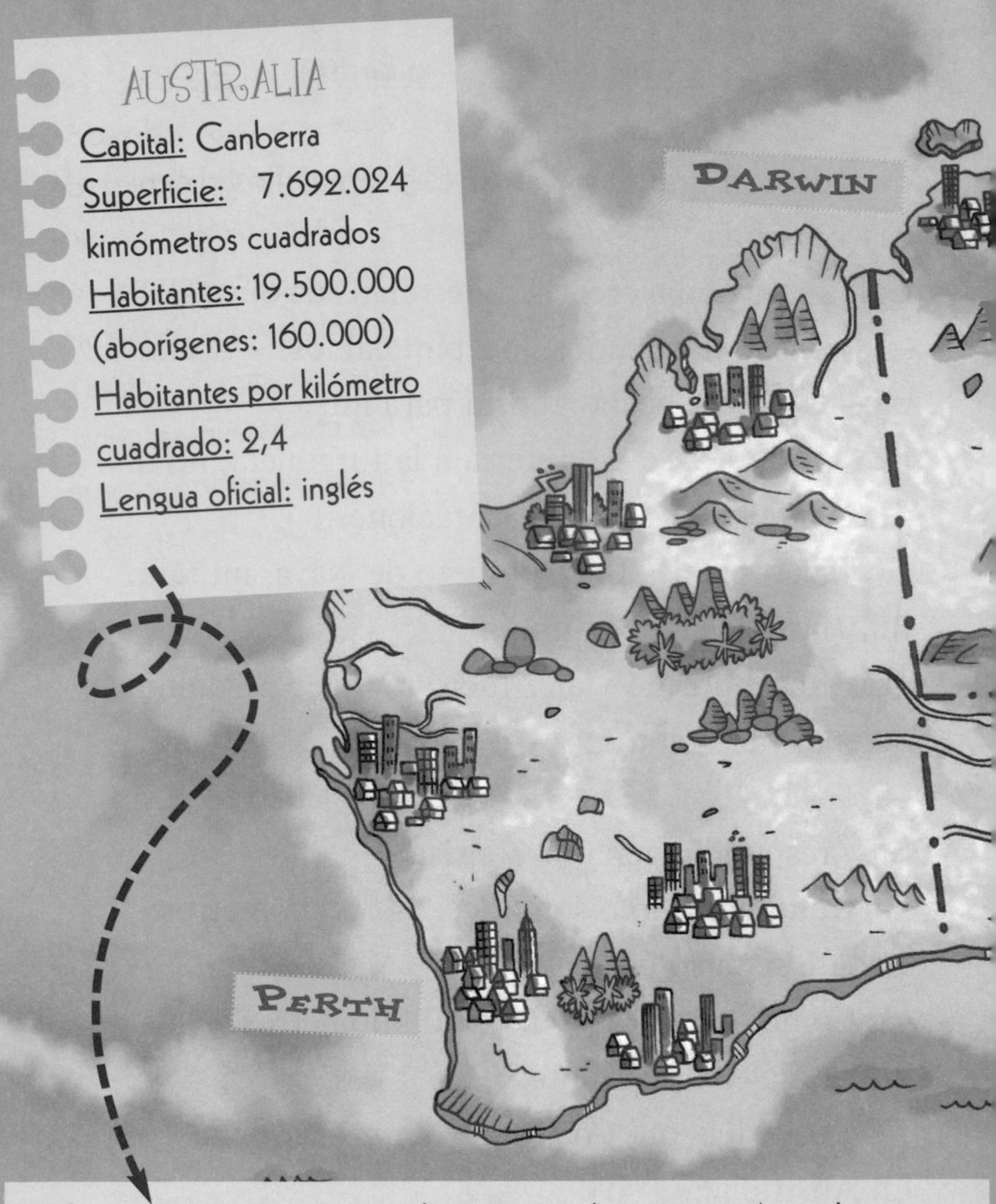

Los primeros testimonios de presencia humana en Australia tienen más de 40.000 años de antigüedad.

El francés De Gonneville fue el primer europeo que desembarcó en la costa oeste de Australia (en 1503). Más tarde (en 1770), el viajero inglés James Cook exploró la costa oriental, y tomó posesión de Australia en nombre del rey de Inglaterra.

En 1901 Australia se convierte en una federación independiente dentro de la Commonwealth (la asociación que agrupa las naciones que formaban parte del imperio inglés). Hoy en día aún se considera a la reina de Inglaterra como la Jefa de Estado.

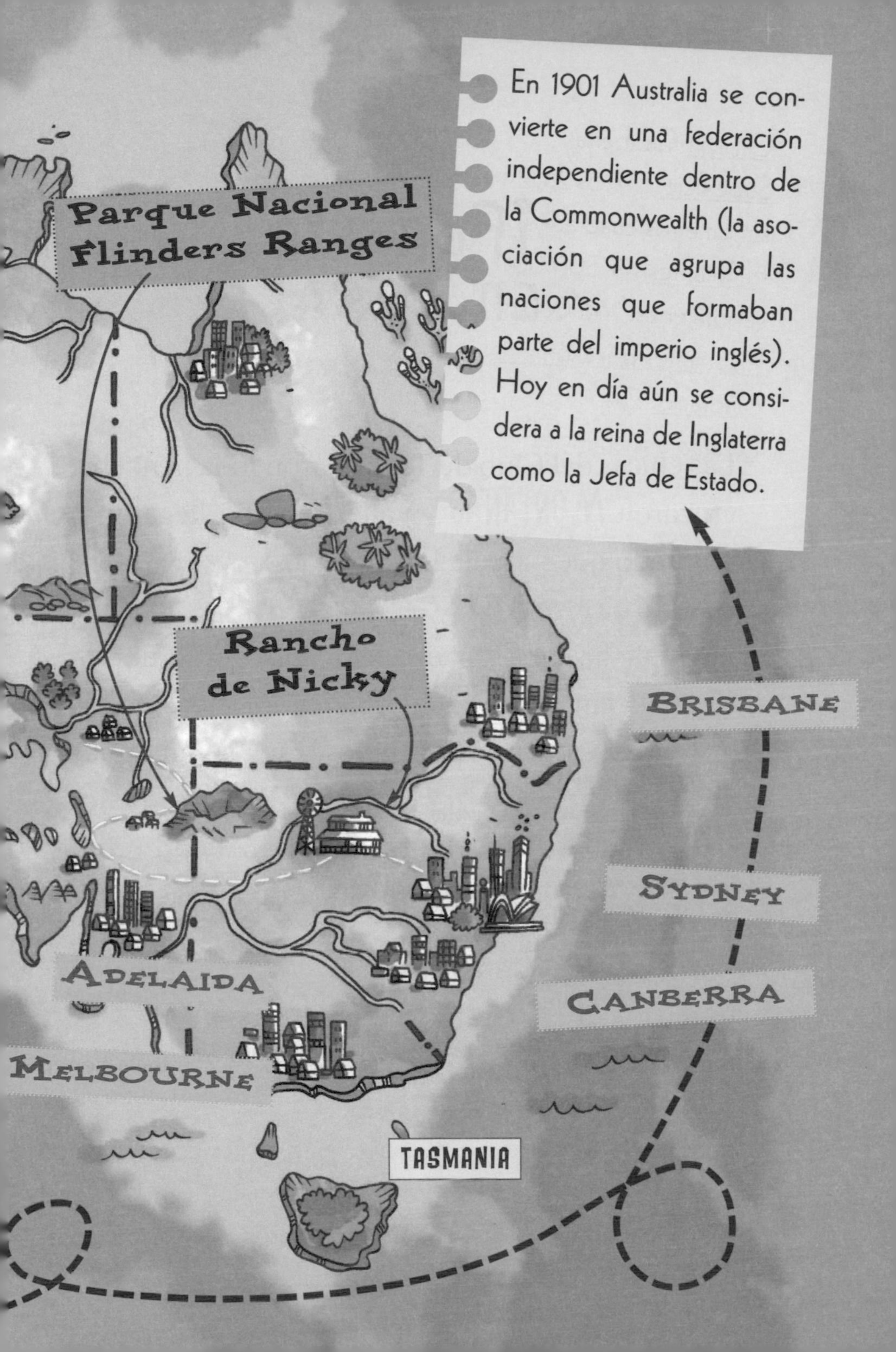

Parque Nacional Flinders Ranges

Rancho de Nicky

Brisbane

Sydney

Canberra

Adelaida

Melbourne

Tasmania

¡Por fin en casa!

Las chicas del Club de Tea viajaron toda la noche, cruzaron MONTAÑAS y valles, y al fin llegaron a un prado que parecía infinito.

¡Un lugar MÁGICO!

La luna brillaba en el cielo. Las gotas de rocío relucían sobre la hierba. A lo lejos, detrás de unos enormes vallados, se veían unas **MANCHAS BLANCAS**. Parecían matorrales níveos, pero en realidad eran inmensos rebaños de ovejas *merinas*, las mejores del mundo para producir lana. Nicky y Billy se turnaban al volante. Violet, Paulina, Pamela y Colette dormían a ratos y se iban alternando para hacerles compañía.

Para el Club de Tea, era estupendo estar charlando bajo el claro de LUNA.

Nicky se informó sobre la situación en la granja.

—Lo verás con tus propios ojos —dijo Billy FRUNCIENDO EL CEJO.

El viaje terminó con las primeras luces del amanecer.

—¡Mi casa! —exclamó Nicky, y señaló una hermosa villa a lo lejos.

8
2
4
5
6

EL RANCHO DE NICKY

1 Vallado central (donde se encierra el rebaño).
2 La casa de Nicky.
3 Cuadras (aquí duermen los caballos. Stella, la yegua favorita de Nicky, tiene un establo especial).
4 Garaje para vehículos agrícolas (aquí se aparcan los vehículos que se utilizan para trabajar en los campos).
5 El Viejo Caracol (es el tractor más antiguo del rancho).
6 Silo (aquí se almacena la comida para los animales).
7 Vallado de los caballos.
8 Generador eólico.
9 Pastos (son las tierras donde come el rebaño).

—¡Aquí nací yo! —dijo Nicky.

Los ojos le brillaban de **ALEGRÍA**.

Mientras las demás descargaban el equipaje, Pamela, que aún estaba dormida, entreabrió los ojos y olfateó el aire.

La brisa matutina traía un olor delicioso.

¡Para chuparse los dedos!

Pamela susurró:

—Si esto es un *sueño*, ¡no me despertéis!

Estaba a punto de cerrar otra vez los ojos cuando, de pronto... **¡GONNNG!**

Un ruido tremendo la hizo poner en pie.

Naya, la tata de Nicky, estaba en la puerta de la granja y golpeaba una sartén con un cucharón.

¡GONG! ¡GONG! ¡GONG!

—¡Venga, chicas! ¡Moved la cola! Os he preparado quesitos a la plancha. ¿No querréis que se enfríen, **VERDAD**?

Tras las presentaciones con Naya, las chicas y Billy se abalanzaron sobre el humeante manjar. ¡Tenían una hambre felina!

Se quemaron los dedos, la nariz y la punta de los bigotes. La única que se contuvo fue Nicky.

—¡Querida Naya! —dijo.

—¡Mi pequeña! —suspiró Naya.

Se abrazaron

fuerte, muy fuerte, fortísimo.

LAS GRANJAS AUSTRALIANAS

En Australia todo es inmenso, y las granjas no iban a ser menos. La granja más grande, que alberga ganado bovino (vacas, terneros y toros), tiene una extensión igual a la de Albania (¡unos 31.000 kilómetros cuadrados!).

Quienes viven en territorios de esas dimensiones, suelen utilizar el avión como medio de transporte habitual. ¡Lo utilizan incluso para visitar a sus vecinos! Los niños que viven en granjas muy aisladas no pueden ir al colegio: siguen las clases por radio y mandan los deberes por correo.

Mientras intentaba en vano contener las lágrimas, la tata dijo:

—Bueno, ya está bien. Ahora ve a comer con tus amigas. Más tarde te llevaré a ver las ovejas.

Nicky la estrechó de nuevo, feliz de volver a sentir ese abrazo fuerte y afectuoso que tantas veces la había reconfortado cuando era niña.

En la lengua aborigen, NAYA significa 'tata', y su Naya la había visto nacer, la había ayudado a crecer y siempre había estado a su lado cuando la necesitaba.

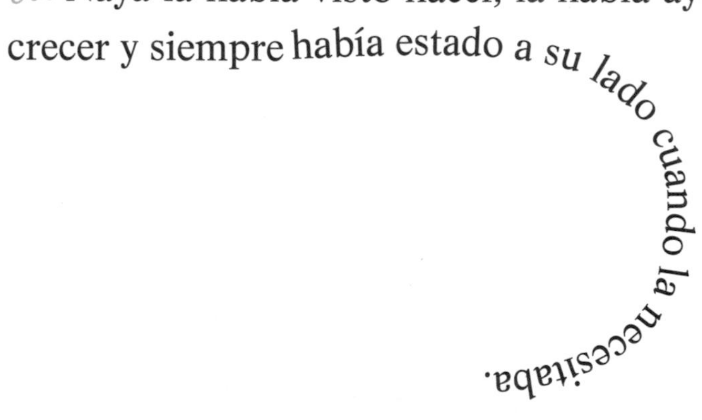

Una extraña enfermedad

Las chicas lo devoraron todo. A continuación, Naya acompañó a Nicky y Paulina al vallado central de la granja.

Todas las ovejas enfermas estaban allí. Por suerte, no habían adelgazado ni habían perdido el apetito.

—¡Eso es buena señal! —dijo Paulina intentando animar a su amiga.

Sin embargo, las ovejas parecían cansadas, y la lana se les caía a mechones, salpicando de blanco el verde prado.

Nicky estaba preocupada.

—¡*Por todas las bolsas de los canguros*! Dentro de un mes es el **Gran Esquileo** y no tendremos lana que vender.

Paulina cruzó la valla, se puso unos guantes de plástico y recogió unas muestras de tierra y hierba para analizarlas.

—¿El Gran Esquileo? —preguntó con CURIOSIDAD.

—Éstas son ovejas de lana —explicó Nicky señalando el rebaño—. Cada año, al final de la estación **fría**, las *esquilan*. Les cortan todo el pelo, y luego la lana se vende a industrias que fabrican jerseys, vestidos, mantas y muchas cosas más.

PAULINA se acercó a las ovejas.

—¡Pobrecillas! Oye... el esquileo no hace daño, ¿verdad?

—¡Claro que no! —le aseguró Nicky—. Pero hay que hacerlo bien, con *delicadeza*.

A Paulina le habría gustado aca-

Normalmente, las ovejas de Nicky son mansas, pero ahora están nerviosas e inquietas. ¿Qué les habrá ocurrido?

riciarlas, pero cada vez que se acercaba, las ovejas se ponían nerviosas. Golpeaban el suelo con las pezuñas y se **apretaban** unas contra otras. Paulina les hablaba con dulzura, intentando tranquilizarlas:

—¡Calma, pequeñas!

Sin embargo, eso las ponía aún más nerviosas.

—¿Se comportan así porque no me conocen? —preguntó, preocupada.

Nicky meneó la cabeza y frunció el cejo, pensativa.

—¡No es normal! —dijo—. En general son mansas y, cuando se asustan, huyen... pero ¡nunca patalean así!

Así es que MAYA no había exagerado.

El **Gran Esquileo** se aproximaba y Nicky tenía poco tiempo para encontrar una solución. Sus padres estaban lejos y no iban a llegar a tiempo. ¡Un solo minuto podía ser fatal! Por **primera vez** en su vida le tocaba a ella ocuparse de todo.

¿Estaría a la altura?

LAS OVEJAS MERINAS

Las ovejas de raza merina proceden de África. Desde allí llegaron a Europa principalmente a España, y sólo en 1799 a Australia, donde hoy en día existen los criaderos más grandes del mundo (hay 15 millones de ovejas: ¡una por habitante!). Por eso Australia es ahora el mayor productor mundial de lana. De cada diez mantas, bufandas o jerseys de lana que se venden en el mundo, ¡siete están confeccionados con lana australiana! Una curiosidad: en la ciudad de Goulburn, cerca de Sydney, puede verse la estatua de oveja merina más grande del mundo. ¡Tiene 15 metros de altura!

Un avión misterioso

Nicky y Paulina decidieron hacer un resumen de la situación:

- Sólo estaban enfermas las ovejas del vallado central; las demás se encontraban bien. Por tanto, no se trataba de una enfermedad contagiosa.
- Todas las ovejas de la granja bebían del mismo arroyo, así que el agua no era la causa de la enfermedad.
- Conclusión: si había algo raro, tenía que estar en la hierba del vallado central.

En casa disponían de todo lo necesario para analizar la tierra. Mientras esperaban saber algo más, Nicky hizo que llevaran a los animales a pastar a otro sitio.

Se ocuparon de ello los pastores que trabajaban en el rancho. Después, Nicky fue a saludar a **Stella**, su yegua blanca.

Ésta la recibió con un relincho ALEGRE que le hizo olvidar de golpe todas sus preocupaciones.

—¡Mi querida Stella! ¡Cuánto te he echado de menos!

Nicky ensilló la yegua, saltó sobre su grupa y **CABALGARON** juntas por el inmenso prado.

¡CUÁNTO TE HE ECHADO DE MENOS,
QUERIDA STELLA!

¡Qué maravilla! ¡Qué sensación de libertad!

A Nicky le encantaba estudiar en RATFORD, y la Isla de las Ballenas era un lugar fantástico, pero... ahora estaba en **su tierra** y sólo allí podía sentirse plenamente feliz.

De repente, Stella relinchó y dio un brinco.
Nicky, cogida por sorpresa, estuvo a punto de ser DERRIBADA.
—¿Qué ocurre? ¿Por qué te has asustado? —le preguntó a la yegua.
El hocico de Stella apuntaba hacia arriba. En el cielo había un avión pequeño.
No era **raro**, porque todas las granjas tenían uno.
Servía para abonar los campos y FUMIGARLOS con insecticida contra los mosquitos.
Sin embargo, parecía que a la yegua le molestaba.
Nicky pensó que lo mejor sería volver a la granja.
En cuanto llegó, Paulina corrió a su encuentro jadeando:
—¡En la tierra hay **PLOMO**! Los análisis son clarísimos. También he buscado en INTERNET y los síntomas coinciden: cansancio, caída del pelo, irritabilidad. Son signos inequívocos de la intoxicación por **PLOMO**.
Nicky se mostró muy sorprendida:

El ruido del motor del avión pone nerviosa a la yegua de Nicky. ¿Sólo está asustada o advierte un peligro?

—¿Cómo es posible que haya plomo en el vallado central?

Paulina aventuró una hipótesis:

—Puede que hayan regado los pastos con agua CONTAMINADA!

—¡El avión! —exclamó NAYA.

La voz de la tata de Nicky hizo que las dos chicas se volvieran hacia ella.

—Una noche, hace unas semanas, oí un avión que estaba sobrevolando nuestra GRANJA...

—¿Por la noche? —preguntó Nicky—. ¡Volar de noche es peligroso!

—Sí, es peligroso, pero la oscuridad es el mejor aliado si uno quiere que no lo vean —dijo Naya.

—Eso significa que nuestro piloto misterioso tenía algo que ocultar —repuso Nicky, recelosa.

—Y, poco después, nuestras ovejas empezaron a perder la lana —concluyó Naya.

Paulina vio cómo Nicky fruncía el cejo.

—En esta zona sólo hay dos aviones —dijo su amiga, y empezaron a TEMBLARLE las orejas—. Uno es el nuestro, y el otro es el de ese canalla... ¡Mortimer Mac Cardigan!

¡SALTÓ SOBRE LA GRUPA DE STELLA Y PARTIÓ AL GALOPE!
!!!

¡MENUDO CANALLA!

Mientras galopaba, Nicky iba reflexionando. Mortimer Mac Cardigan era su vecino. También tenía ovejas, y había intentado comprar varias veces las tierras de la familia de Nicky. Sus padres siempre se habían negado, pero Mac Cardigan no se rendía. Una vez, incluso llegó a amenazarlos veladamente.

Mortimer Mac Cardigan

Es el ganadero más prepotente de la zona. Arrogante y antipático, no sabe lo que son las buenas maneras. Es severo y mal educado con todo el mundo, y se cree muy astuto.
Es un ratón que se ha hecho a sí mismo (aunque el resultado no es precisamente bueno).

Ahora, si la venta de la lana iba MAL, su familia se vería en serias dificultades económicas. ¡Quizá tuviesen que acabar **VENDIENDO** sus propiedades!

Nicky llegó a la granja de los Mac Cardigan. Mortimer estaba cenando en el JARDÍN con su hijo BOB, y cuando vio a Nicky se atragantó.

—¡Señorita Nicky! ¡COF, COF, COF! ¡Qué sorpresa! ¡COF, COF, COF!

Se levantó y se sirvió zumo de manzana.

—Creí que estaba en la Universidad de Ratford. ¡COF, COF, COF!

Mientras bebía, empujó con una pata un misterioso recipiente de plástico amarillo y lo escondió debajo de la mesa.

Nicky no se dio cuenta.

—¡Mac Cardigan! —exclamó, mirán-

BOB MAC CARDIGAN

dolo **FIJAMENTE** a los ojos—. ¡En mis pastos hay **PLOMO**!

Mac Cardigan se puso **AMARILLO**, luego **VERDE** y luego **ROJO**.

¡Parecía un tomate!

—Pero ¿qué... qué... cómo dice? Señorita Nicky, ¿me acusa de algo? ¿Cómo se atreve? ¡Váyase de mi granja antes de que la denuncie por allanamiento de morada!

¡Menudo **CANALLA**!

Como no tenía ninguna prueba concreta para acusar a Mac Cardigan, Nicky montó en su yegua y se fue.

BOB la saludó con la pata, pero ella no lo vio. Estaba demasiado ENFADADA como para fijarse en esas cosas.

Bob y Nicky se conocían desde niños, y él siempre había sentido DEBILIDAD por la chica. Pero, DESGRACIADAMENTE, sus familias no se llevaban bien. En cuanto Nicky se a l e j ó, Mortimer Mac Cardigan se echó a reír.

—¡JA! ¡JA! ¡JA! Una gran actuación, ¿verdad, hijo?

Bob no entendía nada.

—¡Esa metomentodo no me ha pillado por un pelo de gato! —prosiguió su padre.

Y, mientras hablaba, cogió de debajo de la mesa el recipiente de plástico amarillo que había escondido. Éste tenía pintada una gran calavera negra y dos letras rojas: **Pb**.

La calavera significaba 'peligro' y '**Pb**' era el símbolo del plomo.

BOB se enfrentó a su padre:

—¡Papá! ¡Lo que has hecho no está bien! ¡No está nada bien!

Mac Cardigan se puso **ROJO**, luego AMARILLO y luego **VIOLÁCEO**. ¡Parecía una berenjena!

—Pero ¿qué... qué... cómo dices? ¡Soy yo quien decide lo que está bien y lo que no! ¡¡¡Vete a tu cuarto y ni se te ocurra decir una palabra de esto!!!

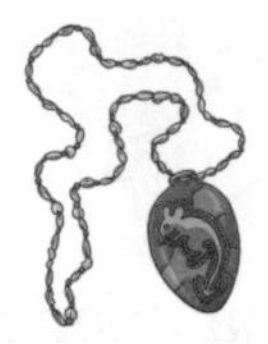

EN LA TIERRA DE LOS ANTEPASADOS

Cuando Nicky volvió a casa, Naya ya estaba preparando la cena. Todos se sentaron alrededor del FUEGO. Mientras comían, Nicky les contó su encuentro con Mac Cardigan.

—No me creo ni una palabra —dijo—. Estoy convencida de que Mac Cardigan tiene la conciencia SUCIA.

Luego le preguntó a Paulina si había encontrado algún medicamento para las ovejas intoxicadas, pero su amiga negó pesarosa con la cabeza.

—¡Ninguno! Nada que actúe rápido.

—A menos que... —dijo Naya.

TODOS GUARDARON SILENCIO.

—... a menos que recurramos a la sabiduría de nuestros ANTEPASADOS.

Los ojos de Naya BRILLABAN, iluminados por el fuego. Parecían contemplar algo muy lejano en el tiempo, muy muy ANTIGUO.

—Hace miles de años —empezó a contar—, nuestros antepasados *curaban* a todos los seres vivos con flores, hojas y raíces. El abuelo de mi abuela conocía una raíz portentosa que servía para tratar cualquier dolencia.

Mientras hablaba, Naya se quitó el collar de semillas que llevaba alrededor del cuello. De él

colgaba un medallón de madera con la imagen de un **RATÓN DEL DESIERTO**. Se lo dio a Nicky:

—Este medallón es el símbolo de mi **TRIBU**. Toma, te será útil en la *Tierra de los Antepasados*.

Nicky no entendía nada.

—¿Dónde, querida **NAYA**?

Ésta señaló un punto situado al noroeste.

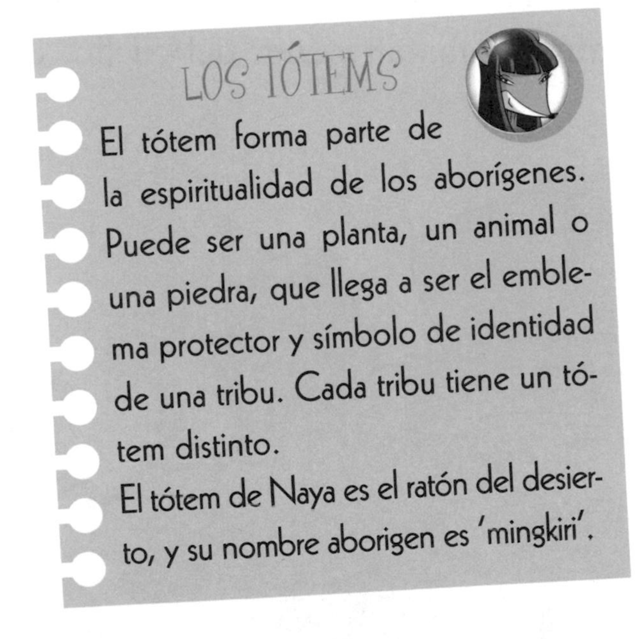

LOS TÓTEMS

El tótem forma parte de la espiritualidad de los aborígenes. Puede ser una planta, un animal o una piedra, que llega a ser el emblema protector y símbolo de identidad de una tribu. Cada tribu tiene un tótem distinto.

El tótem de Naya es el ratón del desierto, y su nombre aborigen es 'mingkiri'.

—Debes ir hasta los Montes Flinders, y luego busca *Nepaburra*. Allí encontrarás a los ANCIANOS de mi tribu. Ellos sabrán cómo salvar nuestras ovejas.

Naya se LEVANTÓ y sacó de su bolsa un trozo de madera plano y liso, en forma de óvalo apuntado, del que colgaba una larga cuerda. Asió un extremo de la cuerda e hizo GIRAR con vigor el trozo de madera por encima de su cabeza.

La madera giraba y vibraba emitiendo una especie de zumbido.

ZUM ZUM ZUM ZUM ZUM ZUM...

Cada vez más fuerte, más potente:

ZUM ZUM ZUM ZUM ZUM ZUM
ZUM ZUM...

Ese sonido se propagó por el cielo, a lo largo de kilómetros y kilómetros.

Violet, PAULINA, Pamela y Colette estaban fascinadas.

—¿Qué es? —le preguntó Violet a Billy.

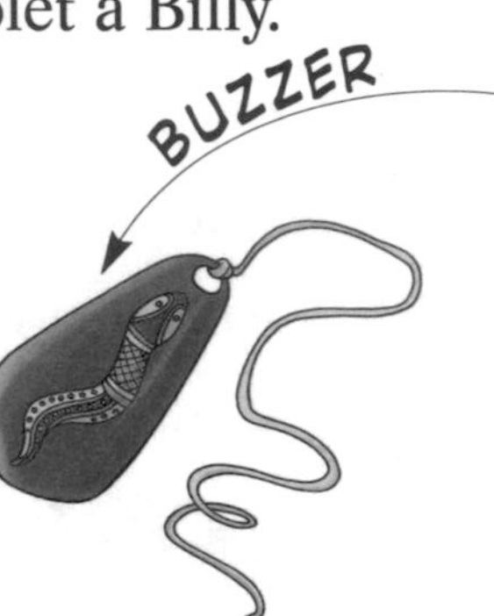

—Nosotros lo llamamos *buzzer* —respondió el chico—. Lo utilizamos como una especie de teléfono. Cada vez que alguien oye ese sonido, hace **GIRAR** también su *buzzer*. De esta forma, el mensaje se va pasando hasta que llega a su destino. ¡Es como un gran PASAPALABRA!

Naya detuvo su *buzzer*.

—Ya está —dijo, y sonrió SATISFECHA—. Gracias al código del *buzzer*, la noticia de vuestro viaje llegará muy pronto a Nepaburra.

ZUM ZUM ZUM ZUM
ZUM ZUM ZUM ZUM

LOS UTENSILIOS DE LOS ABORÍGENES

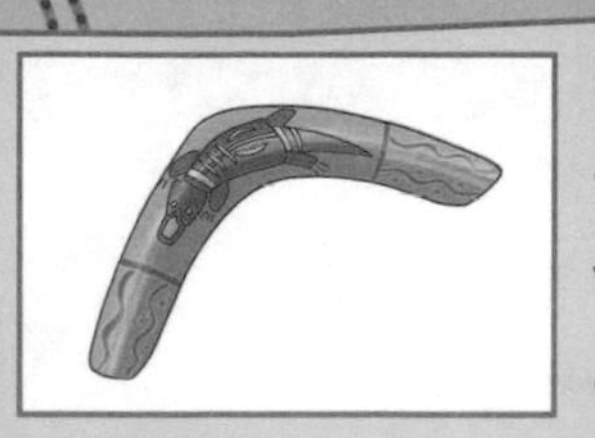

El bumerán: en la lengua de los aborígenes, bumerán significa 'madera que vuelve'. Es un trozo de madera curvado que se utiliza para cazar. Cuando alguien lanza el bumerán y no da en el blanco, éste, con un movimiento giratorio, vuelve a manos del lanzador.

El *buzzer*: es una lámina de madera que lleva atada una larga cuerda. Cuando alguien lo hace girar rápidamente, produce un zumbido muy fuerte que se oye a muchos kilómetros de distancia.

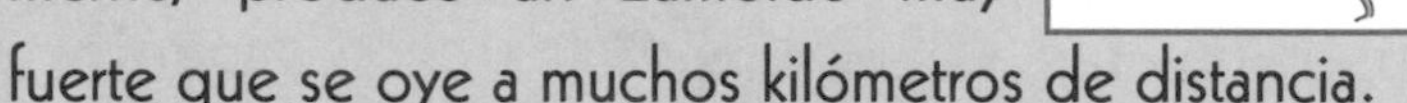

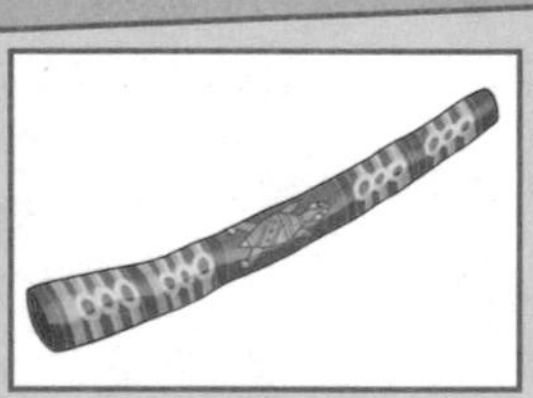

El *didgeridoo*: es una rama de eucalipto vaciada por termitas (los insectos que se comen la madera). Se utiliza como instrumento de viento y para comunicarse a larga distancia. Probablemente sea el instrumento musical más antiguo del mundo.

Los bastones rítmicos: son bastones de madera que se golpean unos contra otros al ritmo de los bailes. Están decorados con dibujos de los tótems de la tribu.

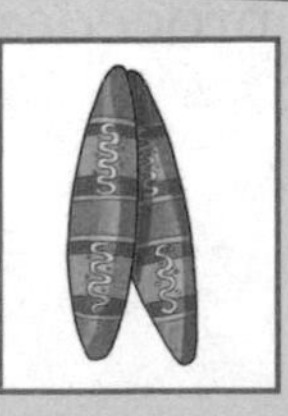

TED, EL MÉDICO VOLADOR

Las chicas del Club de Tea pasaron el resto de la velada estudiando **MAPAS**, y Paulina buscó información en INTERNET. Además, calcularon la distancia entre la granja y los Montes Flinders.

En Australia, las **distancias** siempre son increíblemente largas, pero Nicky estaba decidida a ir, y sus amigas no iban a dejarla sola. Antes de acostarse, las chicas prepararon el equipaje.

—¡Llevaos sólo lo **indispensable**! —advirtió Nicky.

A la mañana siguiente, las despertó un zumbido procedente del cielo.

EL PARQUE NACIONAL DE LOS MONTES FLINDERS RANGES

Los Flinders Ranges se extienden al sur de Australia.

Constituyen un gran parque nacional, rico en flora y fauna.

Aquí pueden verse emúes (avestruces australianos), grandes canguros grises y pequeños walabíes de las rocas de patas amarillas.

En esta zona no hay que perderse la cuenca de Wilpena Pound, un enorme cráter lleno de pastos y vegetación, rodeado de montañas rojizas de más de mil metros de altura, ni tampoco las cuevas de Yourambulla, en cuyas paredes se conservan inscripciones aborígenes. Y, finalmente, hay que ver El Sacro Canyon (un paso rocoso), decorado con muchos grabados en las rocas que representan canguros, emúes y círculos simbólicos.

Era un avión blanco que llevaba *dibujado* un símbolo muy raro en el fuselaje. Pertenecía al *Royal Flying Doctors Service,* los célebres Médicos Voladores australianos, famosos en todo el mundo.

El avión aterrizó en el prado situado delante de la granja. Billy corrió hacia el piloto, un roedor aborigen con aire simpático, vestido con una increíble camisa de flores MULTICOLOR.

Billy hizo las presentaciones:

—Chicas, éste es el doctor Oodgeroo Yunupingu, del *Royal Flying Doctors Service.* Pero podéis llamarlo Ted, es mi hermano.

TED, HERMANO DE BILLY, NIETO DE NAYA

Ted saludó y les dio un abrazo a todos, y uno muy especial a Naya.

Billy y Ted ayudaron a las chicas del **CLUB DE TEA** a cargar su equipaje en el avión.

Pamela llevaba una bolsa y, cómo no, sus llaves inglesas.

Royal Flying Doctors Service of Australia
Los 'Médicos Voladores'

¿Qué haces si te entra dolor de barriga mientras estás en el corazón de Australia? ¡El médico más próximo puede estar a cientos de kilómetros!
Ésta es la respuesta: en Australia, ¡también los médicos deben... volar!
El primer vuelo de este curioso servicio aéreo se efectuó en mayo de 1928. Desde entonces, los «Médicos Voladores» no han dejado de recorrer el país. Todos los días, 24 horas al día.
En 2004 realizaron 210.000 visitas (575 al día) volando de una punta a otra de Australia, y recorrieron casi 20 millones de kilómetros. ¡Igual que si hubieran dado 500 veces la vuelta al mundo!

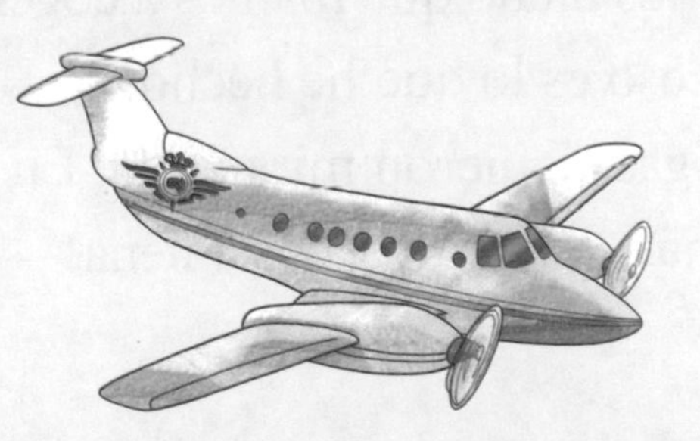

Paulina había cogido una bolsa y su inseparable ordenador portátil.

Violet llevaba una bolsa en bandolera y la pequeña CASA-CALABAZA donde vivía su amigo, el grillo Frilly.

Nicky iba con una mochila y unos prismáticos.

Todas habían cogido lo mínimo indispensable. Todas menos una...

Colette llevaba un minúsculo bolsito **ROSA** y una **ENORME** maleta, tan llena que parecía estar a punto de REVENTAR.

Todas la miraron en silencio.

—¿QUÉ PASA? ¡*Sólo* he cogido una maleta! ¡Habíamos dicho que íbamos a coger *lo indispensable*, y eso es lo que he hecho!

Sus amigas siguieron mirándola. En silencio.

—Además, ¡ni siquiera está llena! —prosiguió.

Las demás no dijeron nada. Colette masculló y entró en la casa arrastrando la enorme maleta. Tras unos minutos, salió con una **MOCHILA** y un neceser rosa.

—¡Uff! —resopló mientras subía al avión—. Si me invitan a un *baile*, ¡no tendré nada que ponerme!

Nicky le dio una palmada en el hombro.

—¡TRANQUILA, COCÓ! Si alguien te invita a bailar, yo te conseguiré el vestido adecuado. ¡Palabra del **CLUB DE TEA**!

Acto seguido, el avión despegó, ligero como una mariposa.

¡VIAJAR POR AUSTRALIA!

Para viajar por Australia son imprescindibles:

- un mapa de la zona;
- spray repelente de insectos;
- un sombrero y crema solar de protección muy alta;
- mucha agua;
- ropa ligera para el día y un jersey para la noche;
- una linterna y pilas de recambio;
- un impermeable durante la estación de las lluvias (de diciembre a marzo);
- una radio o un teléfono móvil con todos los números de emergencias;
- además, es necesario tener conocimientos de primeros auxilios.

¡IBA A SER UN VIAJE TRANQUILO...

El doctor Ted les dijo a las chicas que en un par de horas llegarían a su **destino**:

—Los Montes Flinders no están lejos. *Sólo* son 500 kilómetros, ¡un paseo de nada!

En teoría, iba a ser un viaje tranquilo, sin contratiempos. EN LA PRÁCTICA, ¡todo salió TORCIDO!

El responsable de los numerosos desastres que esperaban al Club de Tea ya lo conocéis: Mortimer Mac Cardigan.

De hecho, Mac Cardigan, que se había alarmado con la visita de Nicky y temía que la chica fuera un OBSTÁCULO para sus planes, había controlado con unos prismáticos el avión en el momento en que éste despegaba.

Luego llamó a la centralita de los Médicos Voladores y simuló que tenía una emergencia:

—¡Socorro! ¡Ayúdenme! Soy un pobre roedor enfermo. ¡Necesito ayuda!

—Cálmese —le dijo una enfermera amabilísima y dígame dónde está.

El avión que llevaba al Club de Tea había partido hacia el oeste, y Mac Cardigan dijo que él estaba cerca de allí, por la zona de Buckleboo.

—Tiene suerte —respondió la enfermera—. El doctor Ted está volando precisamente en esa dirección, hacia Nepaburra. Voy a decirle que cambie de ruta.

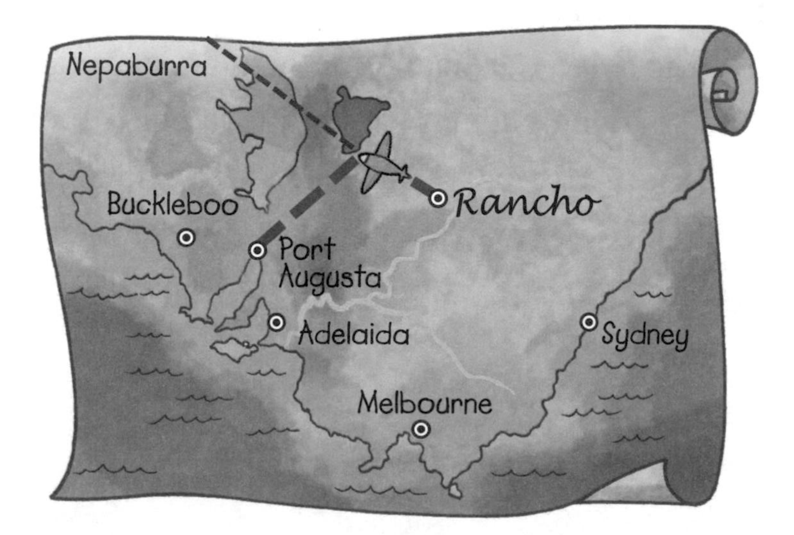

—Gracias, señorita. ¡Mil gracias! —replicó Mac Cardigan, satisfecho.

Pero su hijo Bob lo había oído todo y le dijo:

—¡Papá, lo que has hecho no está bien!

Mortimer Mac Cardigan se puso **LILA**, luego **AMARILLO** y luego **VERDE**. ¡Parecía un calabacín!

—Pero ¿qué... qué... cómo dices? ¡Haz el favor de coger tu bolsa y venir conmigo! ¡Ya te enseñaré lo que está bien y lo que no lo está!

Bob no entendía nada.

—¿Adónde vamos?

—¡A los Montes Flinders, a Nepaburra! —exclamó Mac Cardigan—. Quiero saber qué está tramando esa **INSOPORTABLE** metomentodo.

La 'insoportable metomentodo' era Nicky.

Mientras tanto, Ted había recibido la orden de cambiar de rumbo.

Informó a las chicas:

—Hay una emergencia. Un ratón necesita **AYUDA**. Pero no puedo llevaros conmigo, el reglamento lo prohíbe.

Las chicas del Club de Tea miraron el mapa. Podían bajar en Port Augusta y, desde allí, proseguir su viaje con otros medios de transporte.

¿QUÉ OS PARECE SI HACEMOS UN REPASO DE LA SITUACIÓN?
El Club de Tea está a punto de vivir una aventura llena de obstáculos.
- Para salvar a las ovejas de su rancho, Nicky debe efectuar una carrera contrarreloj.
- Naya, su tata, le entrega un collar muy peculiar: es el salvoconducto para llegar junto a los sabios aborígenes que pueden salvar a los animales.
- Las cinco amigas consiguen que las lleven en avión hasta los Montes Flinders, pero...
- ... Mortimer Mac Cardigan, mediante una falsa alarma, logra que el Club de Tea tenga que desviarse de su ruta.

Tic tic
Chof chof
Splash splash

Las chicas tomaron un **TAXI** desde el aeropuerto de PORT AUGUSTA hasta la estación. Luego subieron a un **tren** que las llevó al norte, hasta la localidad de Hawker. En Hawker cogieron por los pelos un **autobús** que iba hacia Wilpena y allí alquilaron un **TODOTERRENO**.

Un todoterreno equipado con **«TODO LO NECESARIO PARA LA AVENTURA»**, tal como dijo el simpático ratón que les alquiló el vehículo. Antes de sentarse al volante, *Nicky* volvió a repasar el itinerario.

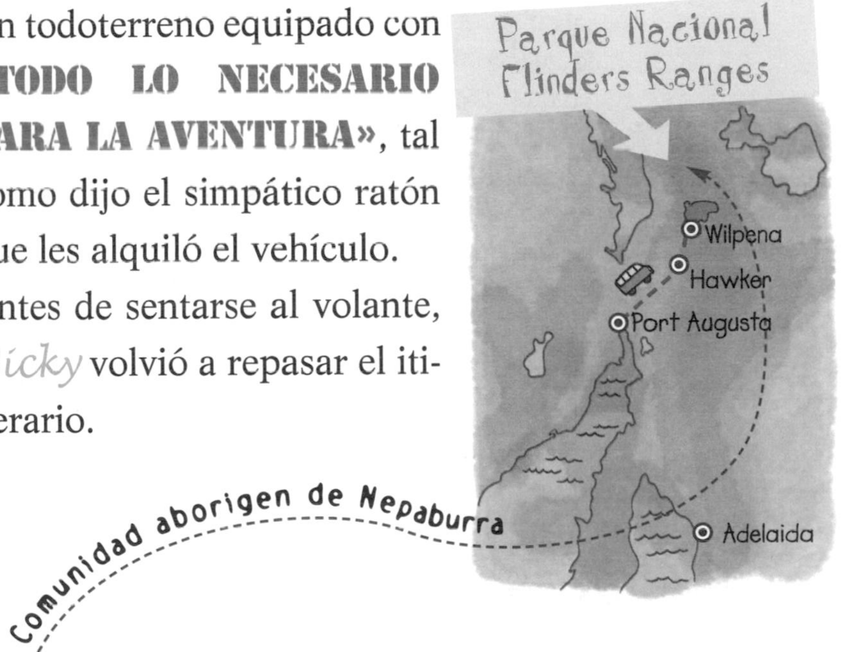

—¡Mirad! —dijo señalando el mapa—. Éste es el Parque Nacional. Aquí vive la comunidad de *Ne-paburra*.

Iniciaron el viaje. ¡Qué paisaje tan maravilloso! Había valles cubiertos de prados, y árboles gigantescos. Más adelante vieron picos altísimos, con rocas PUNTIAGUDAS y rojas. Nicky conducía. Pamela, Colette, Violet y Paulina saltaban de un lado a otro del todoterreno intentando no perderse ni un instante de aquel increíble viaje. Competían para ver quién era capaz de identificar más animales.

—¡Un loro!

—¡Una águila!

—¿Y eso... qué es? Un... ¡¿CANGURITO?!

—¡No! —la corrigió Nicky—. No es un canguro, ¡es un *wa-laby*!

A ratos se quedaban en silencio y contemplaban embobadas EXÓTICOS animales que nunca habían visto antes: *wombats, emúes, echidnas...* Nicky se sentía orgullosa y feliz de poder mostrar las maravillas de su país.

—Chicas —dijo, señalando el panorama—, esto es lo que nosotros, los australianos, llamamos *outback,* es decir, el interior de Australia.

CURIOSIDADES

El wallaby es un marsupial de pequeñas dimensiones. Puede alcanzar una altura máxima de 50-60 cm (en cambio, un canguro rojo gigante puede medir hasta 150 cm). Viven en los desiertos de Australia, en zonas boscosas y rocosas.

La palabra 'canguro' procede de 'kangaroo', que, en la lengua aborigen, significa 'no comprendo'.

CANGURO

WALLABY

¿Cuántos loros hay en el dibujo?

Solución:
Hay 24 loros.

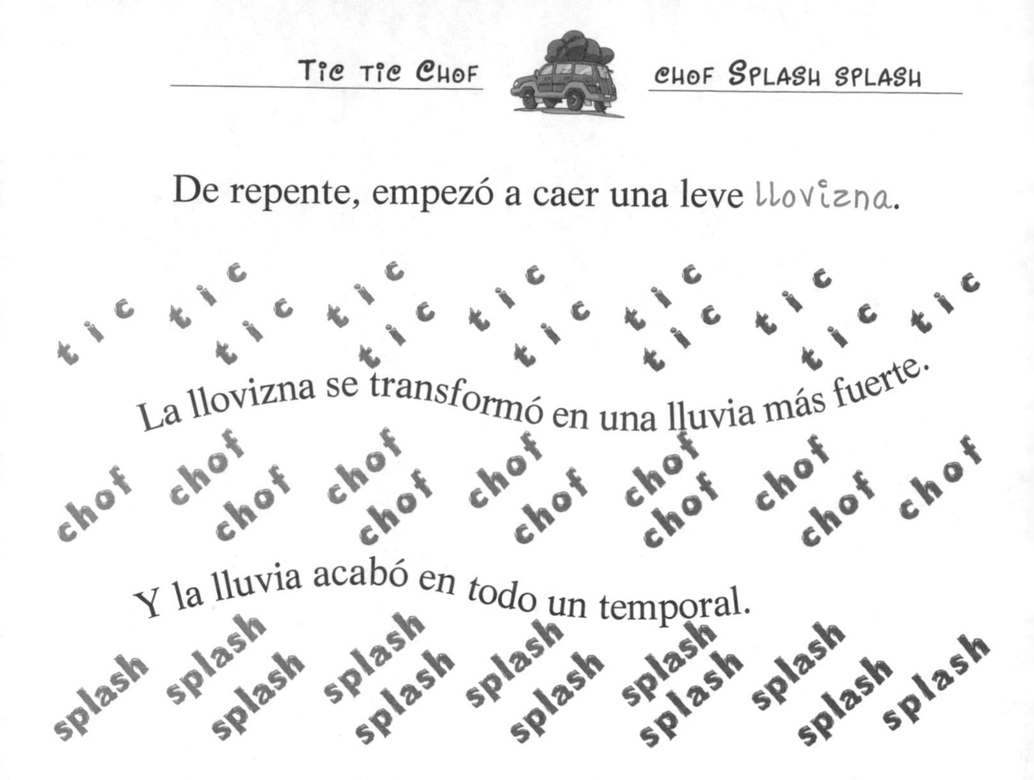

De repente, empezó a caer una leve llovizna.
tic tic tic tic tic tic tic tic tic tic tic tic
La llovizna se transformó en una lluvia más fuerte.
chof chof chof chof chof chof chof chof chof chof chof chof
Y la lluvia acabó en todo un temporal.
splash splash splash splash splash splash splash splash splash splash splash splash

Las chicas nunca habían visto un **AGUACE-RO** como aquél.

CURIOSIDADES AUSTRALIANAS

Imaginaos que estáis sentados a la sombra de un árbol que ya existía en la época de los dinosaurios... ¡Eso puede ocurrir en Australia!
En 1994, en un valle situado en las 'Montañas Azules', en la región de Nueva Gales del Sur, descubrieron un árbol muy especial: el Pino Wollemi. Fue un hallazgo excepcional, pues se trata de una especie que existe desde hace ¡65 millones de años! El Pino Wollemi es poco común, y está en peligro de extinción. Por eso es el árbol más protegido del planeta.

¡Caían unas gotas tan grandes como quesos de bola!

Las escobillas no servían de nada. No se veía a un palmo y, además, estaba **OSCURECIENDO**. Decidieron detenerse y esperar.

Esperaron. **Esperaron. Esperaron.**

¡La lluvia no cesaba! Cenaron pastelillos de queso y zumo de manzana. Luego las venció el sueño. Las cinco cayeron rendidas una tras otra.

¿QUÉ ES UN BILLABONG?

CHIP CHIP CHIIIP CRIC CRIIIIIC CHIIIIP TRI-TRIIII-TRIIII IIIIIK CUIIIK PÍO PÍO PÍO TU TU TU TU TUUU

Un ruido ensordecedor despertó a las cinco amigas: ¡el canto de miles de pájaros!

Violet cerró los ojos con fuerza.

Colette se tapó los oídos.

—¿Qué hora es? —preguntó PAULINA.

Pamela respondió masajeándose la barriga:

—Mi estómago dice que es hora de desayunar.

Sin embargo, por las ventanillas no se filtraba ni un rayo de sol. **¡Parecía que aún fuese de noche!**

Mientras sus amigas se agitaban inquietas, Nicky se desperezó, bostezó y luego gritó a pleno pulmón:

—**¡SILEEEEEENCIO!**

¡SILEEEEENCIO!

Mil alas MULTICOLORES alzaron el vuelo y la LUZ de la mañana inundó el interior del vehículo. Había ocurrido lo siguiente: durante la NOCHE, cientos de pájaros se habían posado sobre el todoterreno hasta cubrir por completo el techo y los laterales. Por eso no se veía la luz.

Las chicas del CLUB DE TEA contemplaron el espectáculo boquiabiertas. Colette decidió tomar una foto para nuestro diario. Abrió la puerta del vehículo, salió y...

¡SPLASSSSH!

¡¡¡Había agua por todas partes!!!

Nicky ayudó a Colette a entrar de nuevo en el coche.

—¿Estás bien, Cocó?

—**¡NO, NO, NO, NO ESTOY BIEN, QUÉ VA!** —gritó Colette—. **¡NO SOPORTO** meterme en charcos! ¡No soporto empaparme! **¡NO LO SOPORTO! ¡NO LO SOPORTO! ¡NO LO SOPORTO!**

Nicky esperó a que Colette se calmara y luego explicó la situación:

—Estamos en un *billabong*.

—¿¡Qué es un *billabong*!?

—preguntaron las demás, PREOCUPADAS.

—Los *billabongs* son lagos que se forman después de los aguaceros. Tienen poca profundidad, pero son enormes.

—Si no es profundo, podemos ponernos en marcha —propuso Paulina.

—No —dijo Nicky negando con la cabeza—. Es demasiado peligroso. Puede haber hoyos ocultos bajo el agua, o cocodrilos.

—¡¿Cocodrilos?!

¡Necesitaban ayuda! No podían ir a ninguna parte. El agua había hecho saltar los circuitos eléctricos.

Al final Pamela tuvo una idea luminosa:

—¡Chicas! —exclamó—. ¿Recordáis lo que nos dijo el ratón que nos alquiló el coche?

—Que el vehículo está equipado con **«TODO LO NECESARIO PARA LA AVENTURA»** —respondieron a coro las demás.

—Pues bien, ha llegado el momento de comprobarlo

—dijo Pamela, y se subió con agilidad al techo del todoterreno, donde estaba el portaequipaje.

TODO LO NECESARIO PARA LA AVENTURA

—¡Vaya! ¡Esto está lleno de cosas! —exclamó Pamela sin poder creer lo que veía—. Brújulas, botiquín de PRIMEROS AUXILIOS, cascos y... *¡Oh, caramba!*

Las demás, desde el interior del vehículo, no veían lo que hacía Pamela, y le preguntaron llenas de curiosidad qué había encontrado.

—**¡UNA LANCHA DE GOMA!** —respondió ella—. ¡Una lancha hinchable con sus remos y todo!

—¿Quieres que prosigamos el viaje en una lancha de goma, remando entre cocodrilos? —preguntó Colette, asustada.

—No todo el viaje... sólo hasta aquella MONTAÑA de allí delante —aclaró Pamela.

Desde el todoterreno se veía el MONTE Saint Mary.

—¡Podemos escalarlo! El *billabong* no puede haber llegado hasta el otro lado, ¿no os parece? Además, detrás de esa montaña hay una **CARRETERA**, y allí conseguiremos que alguien nos lleve hasta la ciudad más cercana.

—¿Y cómo piensas llegar hasta allí? Yo me niego a escalar la montaña con las patas desnudas. ¿Y si se me rompe una *uña*? —dijo Colette.

Pamela metió en la lancha cuerdas, clavos, crampones y todo lo necesario para realizar una

¡ESCALADA ALPINA!

TODO LO NECESARIO
PARA LA AVENTURA

EL ROSA ES MI COLOR PREFERIDO

El Club de Tea se dirigió a la pared **ROCOSA**.

Para Pamela, el viaje estaba resultando una experiencia **superratónica**.

—¿Qué os parece, chicas? Extensiones de terreno inmensas, **AGUACEROS** que parecen el diluvio universal, y ahora escalar una montaña. ¡Ésta sí que es una aventura digna del **CLUB DE TEA**!

Su entusiasmo era contagioso.

—¡Viva el Club de Tea! ¡Hip hip hip... hurra! —gritaron todas a coro mientras remaban.

Tras la tormenta, el cielo estaba nítido, y el aire **FRESCO** daba ganas de moverse.

—Después de tantas horas sentada en el tren y en el todoterreno, ¡necesito **estirar** las patas! —dijo Paulina.

TODAS sus compañeras compartían su opinión... **TODAS** menos una.

—¡Quiero una bañera con hidromasaje! —protestó Colette—. Vosotras no os habéis metido en un **charco** gigante, pero yo debo de estar horrible, con el pelo mojado.

—¡Anda ya! Tú siempre estás estupenda, Cocó —le aseguró Violet con una sonrisa—. ¡Mira, este casco *rosa* te va que ni pintado!

Violet le puso el casco a su amiga y le dijo que se mirase en el agua del *billabong*. Colette le sonrió a su propia imagen REFLEJADA.

—¡El rosa es mi color preferido! —exclamó, y acto seguido ABRAZÓ a su compañera—. Gracias, Violet, ¡eres una buena amiga!

Por su parte, Pamela se consideraba la más experta en ESCALADAS. Comprobó que todas fueran bien equipadas e insistió en darles consejos:

—**Nunca** toméis a la ligera una escalada en la montaña. **Nunca** subestiméis la montaña. **Nunca**, **nunca**, **nunca**...

Creía ser una alpinista experta, y había decidido que debía cuidar de sus compañeras.

ENTRE EL AGUA Y EL CIELO

—Un último **ESFUERZO**, Pam. ¡Ánimo! ¡Ya casi estás!

Violet había sido la primera en llegar a la CIMA, seguida de Paulina. Pamela no podía creer que ambas la hubiesen adelantado con tanta facilidad. Apretó los dientes, hizo **fuerza** con los brazos y, por fin, llegó hasta arriba.

—¿Cómo lo habéis hecho? **¡BUF, BUF!** —jadeó.

Luego abrió mucho los ojos y se quedó sin aliento: ¡el panorama que se veía desde la cima era maravilloso!

—¡INCREÍBLE! —exclamó Pam.

—¡ESTUPENDO! —susurró Paulina.

¡INCREÍBLE!
¡ESTUPENDO!
¡MAGNÍFICO!

—¡Magnífico! —suspiró Violet.

—¡Ésta es mi tierra! —dijo Nicky, emocionada.

—¡Mirad, aquí TAMBIÉN HAY AGUA! —gritó Colette con exasperación.

Era cierto: el *billabong* también se extendía al otro lado del Saint Mary Peak. Un lago **inmenso** del cual emergía un bosque de árboles y picos rocosos.

Las chicas guardaron silencio. Esa experiencia tan intensa y peculiar las había dejado sin palabras.

Y, de pronto... BRROOOOOOOOMMMMMMM

A lo lejos vieron un vehículo muy raro acercándose. Era un hidroplano, o sea, una embarcación propulsada por una hélice que quedaba fuera del agua. ¡Parecía un enorme VENTILADOR!

Cuando lo vio llegar, Nicky saltó de alegría:

—¡Por todas las bolsas de los canguros! ¡Si es MITCH!

Mitch era otro de los muchos nietos de Naya. Trabajaba de guardabosques en el parque. Era un ratón ALTÍSIMO, con una melena increíble, llena de TRENCITAS.

—Me apuesto lo que queráis a que ha sido Ted quien lo ha puesto sobre nuestra PISTA —afirmó Nicky.

Su intuición era exacta. El Médico Volador le había mandado un mensaje por radio a Mitch para decirle que fuera a ayudar a las chicas.

Las cinco amigas prosiguieron su viaje en el hidroplano de Mitch, deslizándose por el agua a lo largo de muchos kilómetros. El paisaje inundado era fascinante, parecía un sueño.

MITCH, PRIMO DE BILLY

Luego, al ponerse el SOL, el *billabong* se interrumpía junto a una CARRETERA. Mitch dijo:

—Éste es el lugar ideal para encontrar quien os lleve.

Tras unos minutos, divisaron un puntito en el horizonte.

—¡Una furgoneta! —dijo Paulina.

—¡Lleva flores pintadas! —observó Colette.

—¡Es Billy! —exclamó Nicky.

¡Billy también había ido a ayudar al Club de Tea!

¡AY, QUÉ DOLOR!

Mientras tanto, Mortimer Mac Cardigan lo estaba pasando bastante mal. Mejor dicho, ¡lo estaba pasando FATAL!

Tras fingir que estaba enfermo, empezó a seguir a Nicky y obligó a su hijo BOB a acompañarlo.

PERO DE REPENTE...

cuando subía al avión, *tropezó* con una piedra y se torció un tobillo.

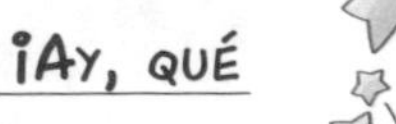

SE PILLÓ LOS DEDOS EN LA VENTANILLA

—¡Ay, qué dolor!

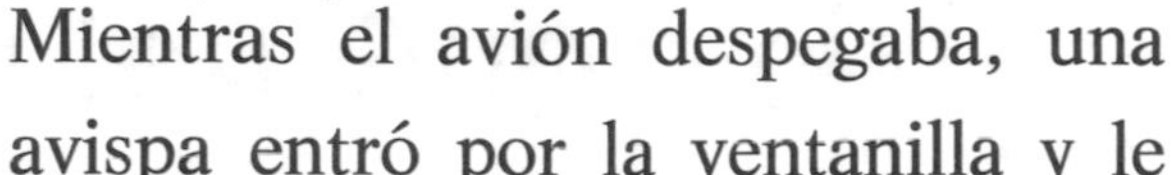

Mientras el avión despegaba, una avispa entró por la ventanilla y le picó en una oreja.

—¡Ay, qué dolor más tremendo!

Al cerrar la ventanilla, se pilló los dedos.

—¡Ay, qué dolor tremendísimo!

Y, POR SI FUERA POCO, ESTABA RESFRIADO

Luego, mientras volaban, estalló la tormenta que había bloqueado a las chicas del Club de Tea.

El avión de Mac Cardigan tuvo que efectuar un aterrizaje de emergencia.

Las SACUDIDAS del pequeño avión le dejaron un buen número de contusiones.

Él y Bob se quedaron bloqueados toda la noche bajo la LLUVIA.

Las gotas tamborileaban con fuerza sobre

el techo del avión. En la cabina del piloto, el ruido de la lluvia resonaba tan fuerte que los dos ratones no pegaron ojo.

Por la mañana, Mortimer tenía el tobillo hinchado, le dolían la oreja y los dedos, tenía la cabeza llena de chichones y, por si fuera poco, estaba RESFRIADO.

Bob intentó convencerlo:

—¡Anda, papá, volvamos a casa!

Pero Mortimer se puso VERDE, luego ROJO y luego AMARILLO. ¡Parecía un pomelo!

—Pero ¿qué... qué... cómo dices? ¡Calla! ¡Aquí soy yo quien decide!

Mac Cardigan seguía representando el papel de ratón seguro de sí mismo, pero en el fondo estaba **desesperado**. ¿Quién iba a cuidar de él?

—¡Vamos a Curdimurka! —propuso Bob—. El día del Gran Baile siempre hay mucha gente. Seguro que habrá un servicio MÉDICO. ¡Alguien podrá ocuparse de ti!

Lo que Bob no podía imaginar es que el Club de Tea estaba también en la famosa ciudad.

¡BIEN VENIDOS A CURDIMURKA!

La ciudad de Curdimurka se fundó a finales de 1800, mientras se construía la línea de tren del Outback (el interior de Australia). Más tarde, la ciudad quedó abandonada.

Hoy, Curdimurka es una 'ciudad fantasma', pero cada dos años se celebra allí el Gran Baile del Outback, la fiesta más importante del sur de Australia, con orquestas que tocan toda la noche.

La más elegante del Gran Baile

Las chicas montaron en la furgoneta de Billy. Pero cuando llegaron las esperaban malas noticias.

—Chicas, ¡todas las carreteras están BLOQUEADAS! —anunció Billy—. Tendremos que pasar la noche en Curdimurka. Por otra parte...

—¿¡Queeeé!? —dijeron todas a coro.

—... PRECISAMENTE, esta noche hay una fiesta. ¡El Gran Baile! —prosiguió Billy.

—¡¿El Gran Baile?! —exclamaron al unísono Pamela, Violet, Colette y Paulina.

—Cada dos años, se celebra en Curdimurka el Gran Baile del *Outback* —explicó Nicky—. Es una fiesta tradicional, muy popular en esta zona.

Billy empezó a cantar con alegría:

¡Si Australia quieres conocer
Curdimurka no te puedes perder!
Toda la noche bailarás y saltarás,
y un barril de zumo de manzana te acabarás.

Al aproximarse a Curdimurka, vieron todas las **CARRETERAS LLENAS** de gente. ¡Todos querían ir al Gran Baile del *Outback*!
Todos menos Nicky.
¡Ella no quería perder más tiempo!
Pensaba en sus ovejas enfermas y en que debía encontrar una solución lo más rápido posible.

El problema era que todas las carreteras seguían bloqueadas. ¡Nicky no sabía qué hacer!
Violet se dio cuenta de lo preocupada que estaba su amiga y le susurró:
—En China hay un proverbio que dice: 'Si no puedes ir donde deseas, quédate donde estás'. Ahora estás aquí y no puedes hacer nada. ¡Disfruta de este momento!

¡VIOLET TENÍA TODA LA RAZÓN!

Lo único que podía hacer era asumir el cambio de planes y esperar al día siguientc. Además, sus amigas iban a pasarlo en grande en el baile.
Está bien, divirtámonos —dijo Nicky, y guió a las demás.

¡Era un espectáculo increíble! ¡Una gran fiesta! Había TENDERETES y *orquestas* por todas partes. ¡Había atracciones, **juegos**, GLOBOS!

¡Y muchas cosas ricas para comer!

Las chicas del Club de Tea estaban asombradas y emocionadas con todo aquel jolgorio. Colette era la única que caminaba en silencio, mirando al suelo.

—¿Estás bien, Cocó? —le preguntó Nicky.

—¡No, no, no, no estoy bien, qué va! —respondió Colette, y se echó a llorar—. ¡No estoy nada bien! ¡No puedo ir al baile con esta pinta! ¡Mira cómo llevo el pelo... y la ropa!

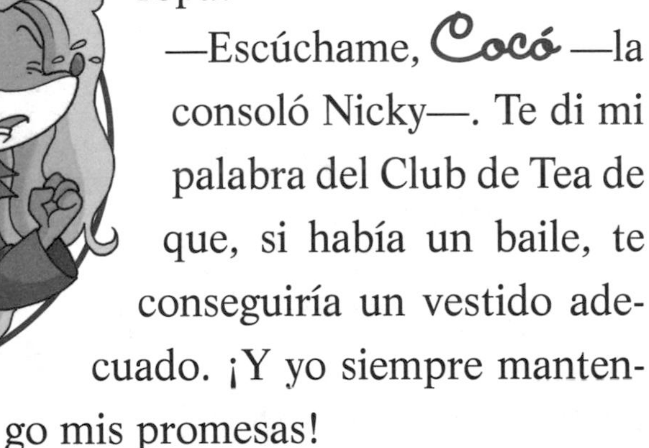

—Escúchame, Cocó —la consoló Nicky—. Te di mi palabra del Club de Tea de que, si había un baile, te conseguiría un vestido adecuado. ¡Y yo siempre mantengo mis promesas!

Pero ¿dónde iba a encontrar un *vestido de noche* entre tanto barullo? ¿Cómo iba a conseguir un traje para Colette?

Nicky miró a su alrededor.

Luego saltó sobre una furgoneta aparcada en la calle y gritó con todas sus fuerzas:

—¡ATENCIÓN, POR FAVOR!

Todo el mundo calló y se volvieron a mirarla.
—Ésta es mi amiga. Viene desde un país **muy lejano**: Francia.
Se oyó un murmullo creciente.
—¿De Francia?
—¡Sí, he dicho Francia!
—¡ANDA! ¿Viene desde tan lejos?
—¡LO JURO POR MI QUESO PREFERIDO!
—¡Esta chica no tiene nada qué ponerse para ir al baile! —prosiguió Nicky—. Vamos a demostrarle que los australianos somos hospitalarios. ¡Necesi-

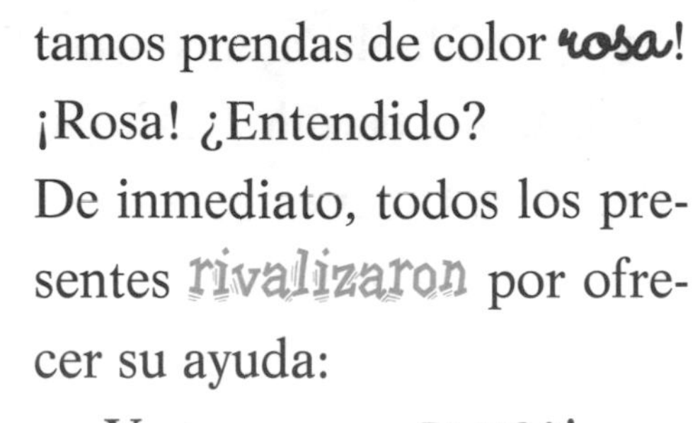

tamos prendas de color **rosa**! ¡Rosa! ¿Entendido?

De inmediato, todos los presentes **rivalizaron** por ofrecer su ayuda:

—¡Yo tengo una **BLUSA**!

—¡Aquí tienes un **CHAL**!

—¿Te gusta este **CINTURÓN** con brillantes?

—¿Todo tiene que ser rosa?

—¡Así es!

Un vendedor de galletas de gorgonzola les ofreció su roulotte para que la utilizasen como camerino.

En primer lugar, Colette se **lavó el pelo**.

Luego, Nicky, Violet, Pamela y Paulina la ayudaron a elegir la ropa. ¡Colette estaba feliz!

Y las demás estaban felices de verla tan feliz.
Bailaron y bailaron durante horas. Se movieron al ritmo de mil canciones distintas, dejándose llevar por la música. De pronto, Violet miró a su alrededor. Con tanto alboroto, ¡había perdido a sus amigas!
Empezó a llamarlas, pero había demasiado ruido.
Intentó buscarlas, pero había demasiada GENTE.
Se sintió perdida, perdida, perdida, perdida, perdida, perdida.
Mientras Violet, desesperada, miraba alrededor, la multitud se movió como una OLA y empezó a aplaudir.

A
B
C
D
E
1
2
3
4
5
6
7
8
Ayuda a Violet a encontrar a sus amigas del Club de Tea

G
H
I
J
K
¡BIENVENIDOS!
Solución:
Pamela H-4, Paulina E-7, Nicky A-7, Colette G-7.

Violet no entendía qué estaba sucediendo a su alrededor. Oía voces que decían:

—¡Ya hemos elegido a la más *elegante* del Gran Baile! Luego tocará el turno de la más **simpática** y de la más **deportiva**.

—¿Quién es la más elegante?

—¡Una rubia! ¡Es francesa de verdad, de Francia!

—¿La que viste de rosa?

—¡CLARO! Te refieres a ésa, ¿verdad?

—¡EXACTAMENTE!

—¡*Colette*! —exclamó Violet, contenta y muy sorprendida.

En ese momento, Colette estaba subiendo al escenario de los premiados.

—¡Es mi amiga! —gritó Violet abriéndose paso. La gente se apartó para dejarla pasar.

Al pie del escenario, estaban Nicky, PAULINA, Pamela, Billy y todos los que le habían prestado a Colette prendas de color rosa. ¡Todos aplaudían con alegría!

Colette estaba muy guapa, ¡parecía una *Reina*!
Cuando le pusieron la corona de 'La más elegante del Gran Baile' los ojos se le llenaron de lágrimas.
¡Fue una velada inolvidable!
Paulina sacó muchas fotos. Luego Colette volvió a ponerse su ropa y **dio las gracias**, uno a uno, a todos los roedores que la habían ayudado.

LA CORONACIÓN
LA MÁS ELEGANTE
DEL BAILE
PERO BILLY,
¿QUÉ HACES?

LA MÁS SIMPÁTICA
DEL BAILE
LA MÁS DEPORTIVA
MUCHOS, MUCHÍSIMOS FUEGOS ARTIFICIALES

Un tratamiento... especial

También Mortimer Mac Cardigan había pasado la noche en Curdimurka, pero... ¡en la enfermería!
El médico que lo atendió le preguntó:
—¿Usted es el que se ha torcido el tobillo?
—Sí —respondió Mortimer.
—¿También el que tiene la oreja INFLAMADA, los dedos hinchados y la cabeza llena de chichones?
—Sí.
—¿El que, además, está RESFRIADO?
—¡Sí, soy yo!
—Bien —dijo el médico—, entonces lo que necesita es una terapia de choque.
Mortimer se asustó y se puso BLANCO. ¡Parecía un requesón!

—¡Rosy! —**gritó** el médico llamando a la enfermera, que estaba en la habitación de al lado—. Éste es el paciente que estábamos esperando, el que necesita un **tratamiento especial**.

—¿Qu-qué es un *tratamiento especial*? —balbució Mac Cardigan.

En ese momento entró Rosy, la enfermera. Se subió las mangas y dijo:

—Veamos, veamos... *¡AJÁ!* Aquí hay que poner una INYECCIÓN. Mejor dicho, dos inyecciones. ¡Bueno, vamos a ponerle tres y no se hable más!

Rosy cogió una jeringuilla **ENORME**, con una aguja muy larga. Mac Cardigan se quería marchar. De repente, ¡¡¡se había curado!!!

Rosy soltó una carcajada:

—*¡JA, JA, JA!* Tiene **MIEDO**, ¿eh? No pasa nada, sólo necesita un par de tiri-

ROSY, LA ENFERMERA

tas, una pomada y un zumo de naranja para el resfriado.

De modo que Mortimer y Bob pasaron la noche en la enfermería.

Mac Cardigan durmió, pero Bob no pegó **OJO**.

El comportamiento de su padre no le gustaba. Era un error, un ~~**GRAN ERROR**~~. Pero ¿de dónde iba a sacar el valor para rebelarse?

Cada vez que intentaba protestar, su padre se **ENFADABA**.

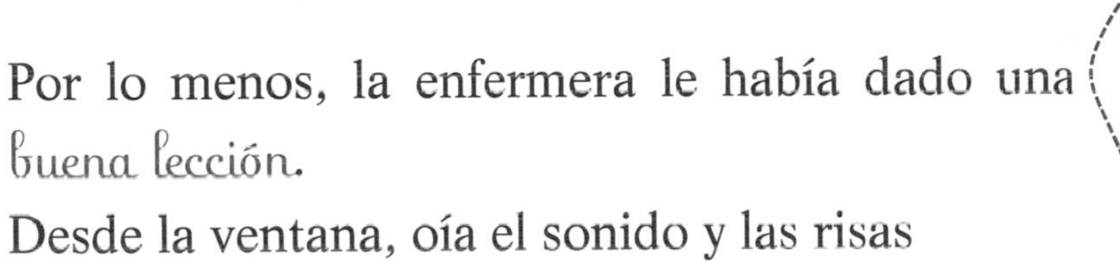

Por lo menos, la enfermera le había dado una buena lección.

Desde la ventana, oía el sonido y las risas de la fiesta.

Bob estaba triste y no tenía ganas de salir.

Le habría gustado estar con Nicky: reír con ella, BROMEAR con ella, bailar con ella. ¡Si hubiera sabido que Nicky estaba a dos pasos de él! Pero Bob no podía imaginarlo siquiera.

A la mañana siguiente, Mac Cardigan se encontraba mucho mejor.
Despertó a Bob zarandeándolo, y, sin molestarse en darle los buenos días, ambos subieron al avión y despegaron inmediatamente.

TENEMOS MUCHO, MUCHÍSIMO SUEÑO

Cerca de la enfermería, delante de la estación de Curdimurka, se oía una música peculiar:

ZZZZZZZZ AHHHHHHHHH PFFF... ¡PUFF! ZZZZZZZZZZ AHHHHHHHHH PFFF... ¡PUFF!

Eran un concierto de **RONQUIDOS**, **RESOPLIDOS**, murmullos y bostezos.

Todo el mundo dormía menos Nicky.

Estaba demasiado *inquieta*: pensaba en sus ovejas, sus padres y el rancho en peligro.

Billy dormía en el vestíbulo de la estación. Nicky quería marcharse lo antes posible y fue a despertarlo, pero él no se enteraba de nada.

Colette se despertó e intentó ayudarla gritando:

—¡EH, BILLY!

Por toda respuesta, obtuvieron gran cantidad de **murmullos**.

—¿Quién está gritando?

—¿Qué hora es?

—¡Chisssst!

—¡TENEMOS MUCHO, MUCHÍSIMO SUEÑO!

Colette intentó hablar más bajo, pero no resultaba fácil.

—¡EH, BILLY! —dijo mientras lo zarandeaba.

Por su parte, Nicky intentaba despertar a sus amigas sin molestar a los que estaban a su alrededor. Paulina, Violet y Pamela (sobre todo Pamela) protestaron:

—¡Tenemos mucho, muchísimo sueño!

Por fin, las chicas se levantaron, cogieron su equipaje y se acercaron a Billy. Lo levantaron a **PESO** y lo subieron a la furgoneta.

Nicky se puso al volante.

—¡Vamos allá, chicas! Colette, tú no pierdas de vista el mapa de CARRETERAS. ¡Vamos a Nepaburra!

Nicky encendió el motor y lo mantuvo al mínimo para no molestar a los demás. En ese instante, pasó un avión volando bajo.

¡BRUMMMMMMMMMMMMMMMMM!

Todos se despertaron sobresaltados.

—¡BASTA YA!

—¡ESTO ES INSOPORTABLE!

—¡Tenemos mucho, muchísimo sueño!

Pero en seguida volvieron a dormirse.

Nicky se asomó a la ventanilla. Observó el avión y lo reconoció.

¡Era el avión de Mortimer Mac Cardigan!

¡BRUMMMMMMMMMMMMMMMM!

¡BIENVENIDOS A NEPABURRA!

El viaje del **CLUB DE TEA** prosiguió sin contratiempos...

¡TUT!... TUT... POP... POP!

... Hasta que la furgoneta se paró.

¡Se habían quedado sin gasolina!

Nicky tenía tanta prisa por llegar que no había comprobado el nivel del carburante. Y Billy seguía roncando... Se despertó justo cuando la furgoneta se detuvo.

—¿Dónde estamos? —preguntó.

—A **MITAD** de camino de Nepaburra, y nos hemos quedado sin gasolina —gritó Nicky exasperada.

¡Aquello era una auténtica **PESADILLA**!

Parecía como si siempre estuviera a un paso de la meta, pero nunca pudiese alcanzarla.

—¡Tiene que haber alguna gasolinera en la carretera! —dijo Pamela—. Iré a por un bidón —se ofreció voluntaria.

—Sí, hay una —confirmó Billy frotándose los ojos—. Creo que está a unos veinte o treinta kilómetros.

Las chicas se estremecieron al oírlo, pero el rostro de Billy se ILUMINÓ. ¡Por fin había despertado del todo! Cogió la radio:

—¡Mitch! ¡Necesitamos tu ayuda!

Tras una media hora, llegó un TODOTERRENO del Parque Nacional.

—¡MIIITCH! —lo saludaron a coro Nicky, Pamela, Violet, Colette y Paulina.

¡Era la segunda vez que acudía a salvarlas en veinticuatro horas!

Billy llenó el depósito. Ahora ya podía volver tranquilo a la granja: Mitch acompañaría a las chicas del **CLUB DE TEA** hasta Nepaburra.

Nicky dejó escapar un suspiro de alivio. ¡Pronto vería cumplida su misión!

Ya faltaba poco para que se reunieran con los ANCIANOS de la tribu de Naya. Estaba segura de que ellos tenían el remedio para curar a sus ovejas. Cuando la carretera sin asfaltar se convirtió en un **SENDERO**, las chicas y Mitch prosiguieron a pie, entre densas nubes de moscas, moscardones, mosquitos, tábanos, libélulas, avispas, avispones y abejas **GIGANTES**.

¡PISTA!

Además de los loros, los insectos y los koalas, hay alguien más que vigila muy de cerca a las chicas del Club de Tea. ¿Sabes quién es? ¿Y dónde está?

Por suerte, Nicky llevaba un spray para alejar a los insectos molestos.

De repente, apareció un grupo de pequeños aborígenes.

Parecían muy espabilados, y tenían el cabello y el cuerpo cubiertos de BARRO seco.

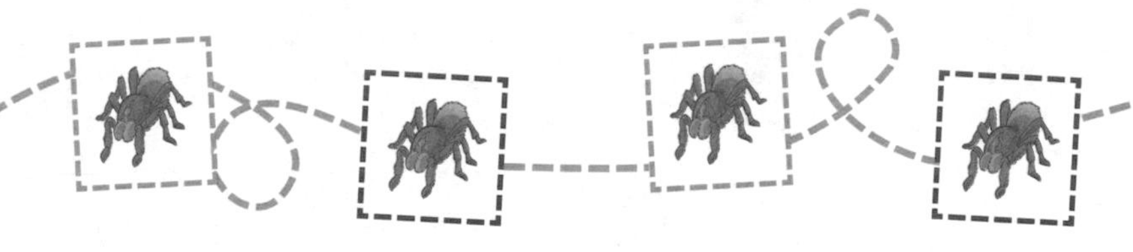

El barro servía para proteger a los niños de los insectos y los rayos del SOL.

Los pequeños saludaron al guardabosques al unísono:

—¡Hola, tío Mitch!

—Son los bisnietos de Naya —les explicó Mitch a las chicas.

—¡¿Aquí todos sois parientes?! —exclamó Pamela.
Los muchachos saludaron a coro a las chicas del **CLUB DE TEA**:
—¡Hola, extranjeras raras! ¡Con ese pelo y con esas caras!
Y se fueron corriendo entre carcajadas.

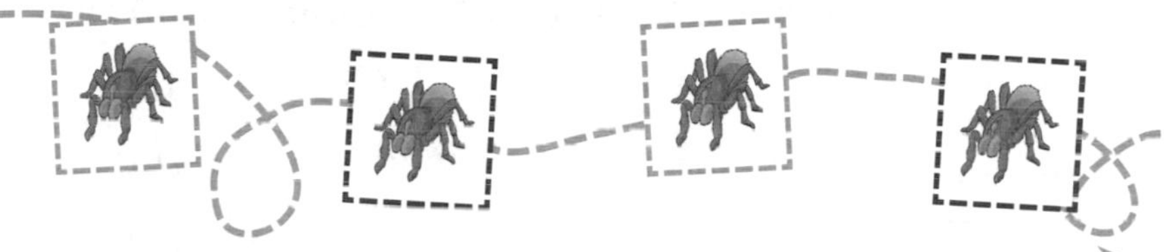

Pamela se estremeció: los pequeños aborígenes jugaban a cazar enormes **ARAÑAS PELUDAS.**
Violet conocía el problema de Pamela. Tiempo atrás, cuando se hicieron amigas, a Pam la aterrorizaba incluso Frilly, el grillo de Violet.
Luego había superado ese miedo y hasta le había salvado la vida a Frilly.
— TRANQUILA —susurró Violet, cogiéndola del brazo—. ¡Yo te protegeré!

Una indicación misteriosa

Finalmente llegaron al lugar donde vivían los aborígenes. Éstos esperaban al Club de Tea: el mensaje que NAYA había enviado con el *buzzer* unos días antes, les había anunciado su llegada.

Era la hora de la cena, y habían puesto a hervir una sopa de raíces que despedía un aroma delicioso.

—¡A COMER! —exclamó Paulina.

¡Todas se morían de hambre!

Una muchacha aborigen se acercó a ellas. Era bajita y menuda, y llevaba un sencillo vestido de flores.

Mitch hizo las presentaciones:

—Ésta es Lilly, mi novia.

Mitch y Lilly se abrazaron tiernamente.

Mientras tanto, Nicky miraba a su alrededor preocupada.

—¿Dónde están los ancianos? —preguntó.

—¡Se han IDO! —respondió Lilly.

La noticia fue un duro golpe para la pobre Nicky.

¡LE ENTRARON MUCHAS GANAS DE LLORAR!

—Pero es que... es que yo tengo que hablar con ellos. ¡He recorrido cientos de kilómetros para verlos!

Lilly comprendió que debía de tratarse de algo muy grave, pero se veía en un aprieto:

—Por desgracia, NO PUEDO decirte dónde están. ¡Es un lugar secreto! Sólo podemos ir nosotros, los aborígenes.

Nicky estaba a punto casi de LLORAR. ¡El viaje a Nepaburra había sido inútil!

Entonces Violet le tiró del brazo:

—¡El collar! —exclamó—. ¡Enséñale el collar que te dio Naya!

¡Nicky estaba tan NERVIOSA que se había olvidado de lo más importante!

—¡Mira! —dijo Nicky mostrándole el collar a Lilly—. Me lo dio mi tata.

La joven aborigen se quedó muy sorprendida.

—¡Este collar es muy especial! Es un collar aborigen, y eso significa que puedo confiar en ti.

Lilly le contó que los ancianos habían ido a la GRAN MONTAÑA ROJA DE ULURU, en el corazón de Australia.

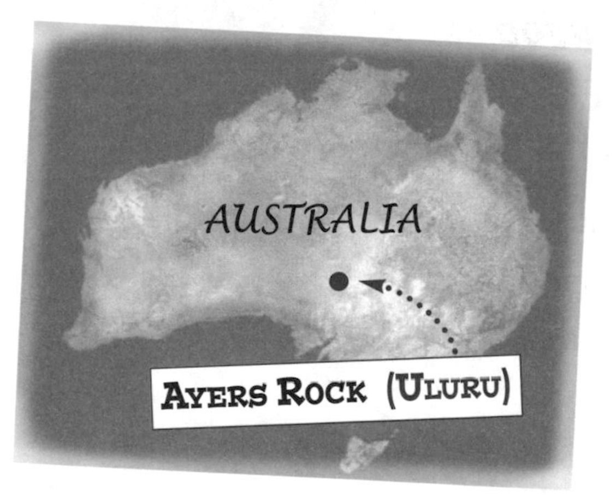

—¡La conozco! —exclamó Nicky—. ¡Es AYERS ROCK! *Uluru* es el nombre aborigen.

—Si quieres hablar con los ancianos, tendrás que ir hasta allí y buscar *la montaña dentro de la montaña* —explicó Lilly.

Luego señaló el ratón del desierto grabado en el medallón de Naya y dijo:

—¡Él te indicará el camino!

Nicky no lo entendía, pero Lilly la tranquilizó:

—Tranquila, cuando llegue el momento, ya lo comprenderás.

Mientras Lilly y Nicky hablaban, Pamela empezó a buscar algo en su bolsa y...

—¡AHHHH! —¡Tocó una enorme araña **PELUDA**!

Volcó el contenido de la bolsa y la araña salió huyendo.

Los pequeños aborígenes corrieron detrás de la araña, y ésta corrió a ocultarse entre la ESPESURA.

Entonces se oyó un grito desesperado que procedía de allí.

—¡AY, MENUDA ARAÑA!

¡Era Mortimer Mac Cardigan!

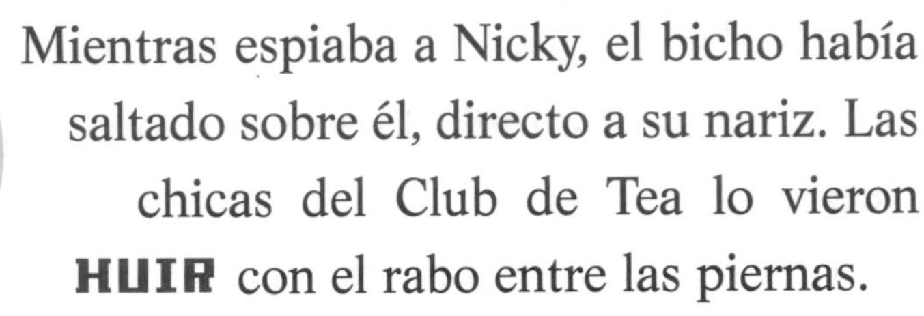

Mientras espiaba a Nicky, el bicho había saltado sobre él, directo a su nariz. Las chicas del Club de Tea lo vieron **HUIR** con el rabo entre las piernas.

ARAÑAS PELIGROSAS

En Australia viven 7 de las 10 arañas más peligrosas del mundo.

La araña más venenosa es la Atrax Robustus o 'araña de tela de embudo'. Es una araña de color oscuro, que mide de 15 a 45 milímetros de diámetro (incluidas las patas). Teje una tela en forma de embudo y la introduce en la tierra, dentro de un hoyo.

En los países mediterráneos la única araña peligrosa es la denominada *Latrodectus tredecimguttatus*, una especie de viuda negra. Suele vivir bajo las piedras, rocas o en la base de viejos troncos. Sus dimensiones oscilan entre los 4 y los 15 milímetros. Es fácil reconocerla, pues tiene el cuerpo negro con puntos rojos.

¡OTRA VEZ DE VIAJE!

Ya se estaba haciendo de noche, pero Nicky no se decidía a ACOSTARSE.

No dejaba de estudiar los mapas: la distancia entre Nepaburra y **Ayers Rock** parecía infinita.

Lilly no entendía por qué estaba tan preocupada.

—Le da miedo no llegar a tiempo —le explicó Paulina—. Sus ovejas necesitan la *medicina* en seguida.

Entonces Lilly fue a coger un largo tronco de eucalipto que estaba vacío por dentro y decorado con miles de PUNTOS MULTICOLORES.

—Conozco este instrumento —dijo Pamela—. Se llama... *yideridú*.

Mitch, divertido, la corrigió:

—¡Se dice *didgeridoo*! —aclaró, y tomó el instrumento de manos de su novia.

Sopló con fuerza dentro de la rama y la hizo **vibrar**. Ésta emitió un sonido rarísimo, bajo y potente.

MMUU-UUHHH-UOOHH-UUHH-UOOHH

Desde lejos, como un eco distante, respondió otro *didgeridoo*.

Mitch estaba utilizando el instrumento para comunicarse con alguien.

Cuando dejó de tocar, le dijo a Nicky:

—¡Ya he encontrado quien os lleve! Os iréis por la mañana en el avión de Ted, el **Médico Volador**.

Por fin podían irse a dormir.

Pamela fue la única que durmió mal. ¡Pasó toda la noche soñando con arañas **PELUDAS**!

¡¡¡GRRRRRRR R RRRRRRRRRRRR!!!

A la mañana siguiente, cuando las chicas del **CLUB DE TEA** se disponían a marcharse, todo el pueblo salió a despedirlas, incluidos los pequeños aborígenes:

—¡ADIÓS, EXTRANJERAS RARAS! ¡CON ESE PELO Y CON ESAS CARAS!

Luego, Mitch y Lilly las acompañaron a la pista de aterrizaje. Allí las estaba esperando Ted, el *Médico Volador*.

Antes de subir al avión, las chicas les dieron las gracias por todo a sus nuevos amigos, Lilly y Mitch.

—¡Hacen muy buena pareja! —exclamó Pamela.

Era bonito saber que allí, en el CORAZÓN de Australia, también tenían buenos amigos.

¡Y es que los auténticos amigos son un verdadero tesoro!

¡Los auténticos amigos son un verdadero tesoro!

¡Como una mozzarella al horno!

Durante el *Vuelo*, Nicky iba escrutando el cielo. Después de lo ocurrido la noche anterior, no tenía ninguna duda: ¡Mortimer Mac Cardigan la estaba siguiendo!

¡Y sabía adónde se dirigían!

¡Seguro que volverían a encontrárselo! Mientras tanto, Mac Cardigan ya había llegado a **Ayers Rock**. Quería tenderles una trampa a las chicas del Club de Tea, pero, pero, pero... ¡se había producido una novedad! ¡Una gran novedad!

¡Una **enorme** y **gigantesca** novedad!

Esa mañana, su hijo **Bob** le había dicho:

—Ya basta, papá. ¡No cuentes más conmigo!

¡Era la primera vez que Bob **desobedecía**!

Mac Cardigan protestó, gritó y pataleó, pero no le sirvió de nada. Bob se tapó los oídos y no le hizo caso.

LE DIO LA ESPALDA Y SE FUE.

Mac Cardigan se quedó solo al pie de **AYERS ROCK**, entre las rocas candentes.

Hacía calor, calor, calor, calor, calor.

¡MUCHÍSIMO CALOR!

¡Se sentía como una mozzarella al horno! Se refugió bajo una roca, a la sombra.

—Creo que voy a descansar un ratito...

Y se quedó dormido.

LA MONTAÑA PARLANTE

Las chicas del **CLUB DE TEA** llegaron a Ayers Rock cuando el sol aún estaba alto. El *Doctor Ted* tuvo que despedirse rápidamente de ellas para volver a despegar, pues había recibido una llamada urgente.

—¡Hace **MUCHÍSIMO CALOR!** —dijo Nicky, prudente—. Descansemos un poco hasta que el sol no esté tan fuerte.

Las chicas se sentaron a la *sombra*.

Paulina y Violet contaron todo lo que sabían sobre Ayers Rock:

—Aunque hubiéramos traído el **EQUIPO** de escalada, no nos habría servido de nada: está prohibido subir a la montaña sagrada.

Ayers Rock, cuyo nombre aborigen es «Uluru», es el monolito más grande del mundo. La palabra monolito significa 'una sola piedra'. Ayers Rock es una montaña formada por una sola roca enorme.

La parte visible de Ayers Rock mide 3.600 metros de largo y 348 metros de alto. Pero en realidad la montaña es mucho más grande, ya que la roca se extiende 700 metros más bajo tierra.

Los vientos y las lluvias han erosionado la montaña y han formado grietas. Cuando el viento sopla fuerte, las grietas 'silban' de forma misteriosa. Este fenómeno ha dado lugar a numerosas leyendas.

Ayers Rock se alza en una llanura. Los momentos más sugestivos para visitar el lugar son durante la puesta de sol o al amanecer, cuando la luz del sol hace que la montaña parezca casi 'viva', tiñéndola con mil matices distintos de rojo.

En Ayers Rock pueden verse muchos testimonios de la cultura aborigen, como las marcas e inscripciones que cubren su superficie. ¡Algunas tienen 20.000 años de antigüedad!

Mientras Nicky no dejaba de pensar en las misteriosas palabras de Lilly: *Busca la montaña dentro de la montaña.*

Y también: *Él te indicará el camino.*

Observó el ratón del desierto grabado en el medallón de Naya. ¿Cómo iba a indicarle el camino aquel DIBUJO?

Nicky no podía comprenderlo...

El sol empezó a ocultarse tras el horizonte. Ayers Rock era un lugar imponente y misterioso. A la luz del atardecer, parecía una montaña de fuego.

Nicky cogió los prismáticos y escrutó la roca.

¿Dónde estaría el acceso para entrar *dentro de la montaña*, tal como le había dicho Lilly?

Alguien vigilaba a las chicas del Club de Tea desde lejos... ¡Era BOB Mac Cardigan! El joven, tras haber dejado a su padre, iba siguiendo a las cinco amigas. ¡Estaba preocupado por ellas!

Mientras, las chicas seguían a Nicky en silencio, para no molestarla.

¿Qué estaría buscando?

En una pared de la montaña, *Nicky* descubrió unas **GRIETAS** lo bastante anchas como para que alguien pudiera pasar a través de ellas.

Le dio los prismáticos a Paulina y dijo:

—Quizá podamos entrar dentro de la montaña por una de esas fisuras.

Paulina observó atentamente con los prismáticos:

—Es posible, pero... ¿cómo sabremos cuál es la grieta adecuada?

De pronto, Pamela señaló el ratón grabado en el medallón de *Nicky*.

¡PISTA!

—Lilly te dijo que él te indicaría el camino.

Entretanto, Violet empezó a escrutar Ayers Rock con los prismáticos. Los **ENFOCÓ** bien y vio que, entre una grieta y otra, había unos símbolos muy raros grabados en la roca. Siguió enfocando y exclamó:

—¡Por todas las piedras de la Gran Muralla!

A continuación le tendió los prismáticos a Nicky:

—¡**MIRA** tú! ¿Ves lo mismo que yo?

Nicky miró y abrió los ojos como platos. En la pared se veía gran cantidad de inscrip-

En estas dos rocas hay muchos dibujos de ratones del desierto. Fíjate bien: las colas de los ratones señalan la entrada por esa grieta.

ciones aborígenes antiguas. Había líneas ONDULADAS, espirales, tortugas, lagartijas, águilas, SERPIENTES, pero sobre todo, MUCHOS, MUCHOS, MUCHÍSIMOS ratones del desierto iguales al del medallón de Naya.

¡AYUDA AL CLUB DE TEA!

Fíjate bien en las inscripciones de la página anterior y en los ratones del desierto. ¿Observas algo especial?
Anótalo aquí:

Una cuestión de... ¡cola!

—Acerquémonos —sugirió Paulina—. Yo creo que, si observamos con atención los ratones del desierto, descubriremos algo.

Las chicas se encaminaron al pie de la montaña sagrada, al lugar donde habían visto los dibujos con los prismáticos.

Llegaron junto a la pared cubierta de inscripciones.

¡Paulina tenía razón! Había muchos ratones y, mirándolos bien, sus colas eran distintas.

—¡Éste tiene la cola curvada!

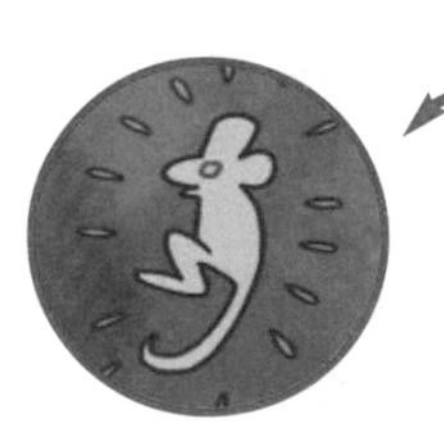

—dijo Pamela.

—¡Éste tiene la cola recta!

—afirmó Violet.

—¡Y éste tiene la cola en forma de flecha!

—observó Colette—. ¡Igual que el dibujo del medallón!

Nicky se acercó para comprobarlo.

—¡Tienes razón, Colette! Debemos seguir la DIRECCIÓN que señalan los ratones con la cola en forma de flecha. ¡Ellos *nos indicarán el camino*!

—¡Una idea morrocotuda! —exclamaron todas al unísono.

En ese momento, Paulina descubrió una especie de sendero en el suelo.

—¡Mirad!

—¡Superratónico!

—¡Un paso entre las rocas! —exclamó Nicky emocionada, con un nudo en la garganta.

La LUZ baja del atardecer iluminaba una peque-

ña grieta que se abría entre las rocas, justo en el PUNTO hacia el que señalaban las colas de los ratones del desierto.

A las chicas las orejas les temblaban de emoción.

Decidieron entrar por esa abertura. Una vez dentro, recorrieron un sendero y, tras una curva, llegaron a otra grieta que se abría en la **MONTAÑA**.

Era una galería oscura y muy estrecha.

—Uluru es una MONTAÑA SAGRADA —dijo Violet con voz insegura—. Quizá sea irrespetuoso entrar ahí.

—Pero ¡nosotras lo haremos con todo el respeto! —exclamó Pamela.

—*¡Claro!* —confirmó Nicky mostrando el medallón—. Tenemos una **MISIÓN** que cumplir y este medallón es la prueba de nuestra buena fe. ¡Nos lo dio Naya y nos protegerá! ¡Entremos a buscar a los ancianos!

Las cinco muchachas unieron las PATAS y, para infundirse valor, gritaron su lema todas juntas:

—*¡Unidas ahora... unidas para siempre!*

Luego, Nicky cogió la linterna y encabezó la marcha. Una tras otra, las chicas del Club de Tea la siguieron por el oscuro pasadizo.

LA MONTAÑA DENTRO DE LA MONTAÑA

La galería descendía bajo tierra hasta el corazón de la montaña. El terreno era cada vez más empinado y RESBALADIZO.

Las cinco amigas debían mantener los ojos bien abiertos para no caerse. De repente, vieron algo que se movía en la sombra.

—¿Qué es? —chilló Pamela.

Nicky enfocó la pared con la linterna: ¡estaba llena de grandes, enormes, gigantescos **ciempiés**!

Pamela se estremeció:

—¡BRRRRRRRRRRRRRRRRR!

Nicky, Paulina, Violet y Colette la rodearon para que se sintiera protegida.

Recuerda: *¡Unidas ahora... unidas para siempre!*

No se dieron cuenta, pero alguien las estaba observando.

¡Eran tres misteriosos ratones aborígenes! Dos hombres y una mujer muy **ancianos**.

—*Se quieren mucho* —susurró el **primero**.

—Eso está bien —añadió el **SEGUNDO**.

—Sí, está muy bien —concluyó la TERCERA.

Las chicas prosiguieron.

El paso se volvió estrechísimo.

Nicky sentía un **SUDOR FRÍO**. ¡No soportaba los espacios demasiado estrechos!

Paulina, Violet, Pamela y Colette intentaron animarla.

—¡ÁNIMO, NIC!

-¡Resiste, Nic!

Aunque ellas no lo supieran, los tres aborígenes misteriosos las estaban escuchando.

—Se ayudan —susurró el **primero**.

—Eso está bien —añadió el **SEGUNDO**.

—Sí, está muy bien —concluyó la TERCERA.

Las chicas siguieron avanzando por el pasadizo. ¿Adónde las conduciría? ¡Aquello parecía un laberinto!

Violet estaba muy cansada:

—Uff, chicas, ¡no puedo más! ¡No puedo seguir! Además, ¿adónde nos llevará este túnel?

Por fin dejaron atrás la galería y llegaron a una enorme cueva iluminada por unas hogueras en torno a las cuales había muchos aboríge-

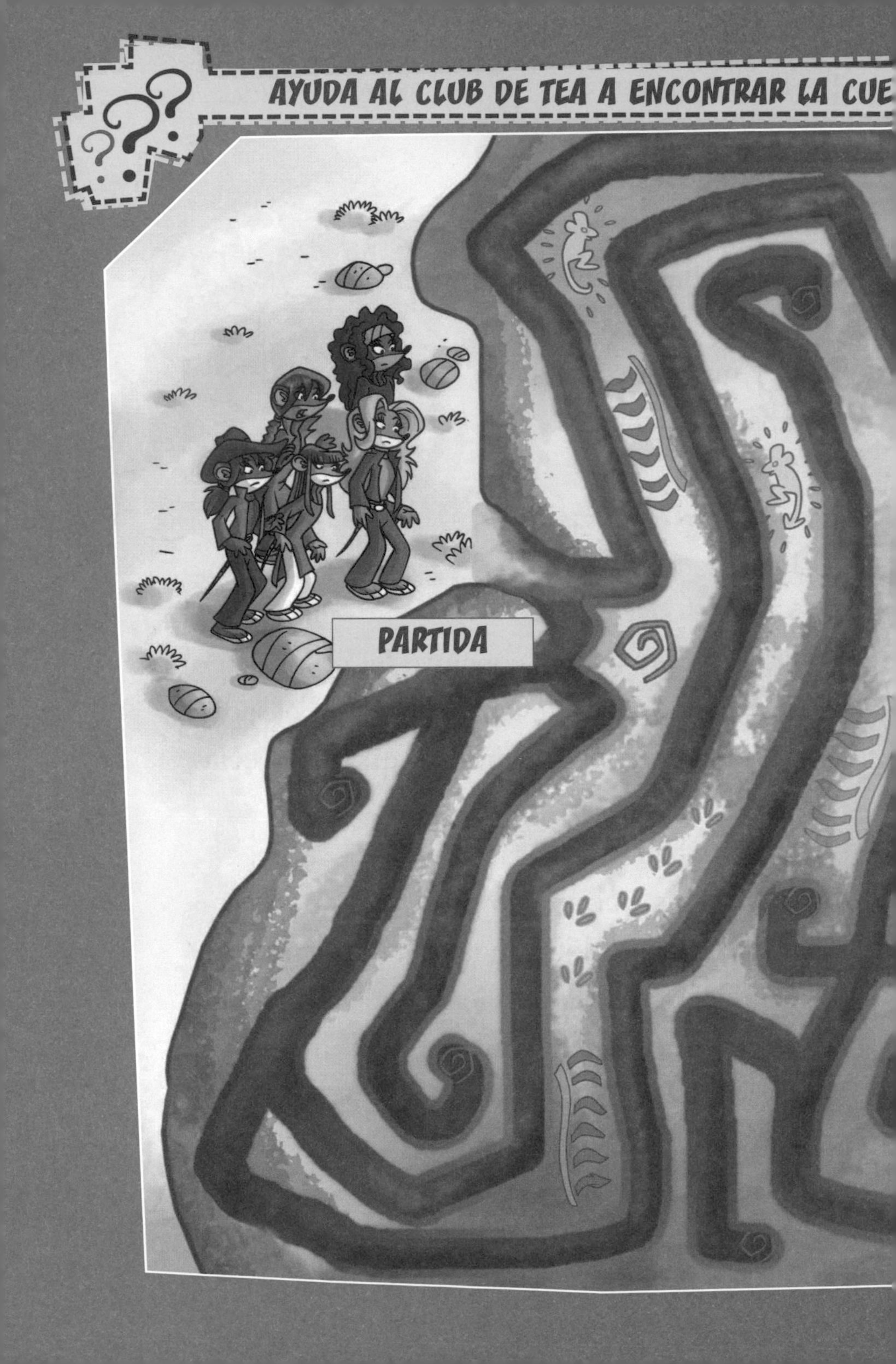
AYUDA AL CLUB DE TEA A ENCONTRAR LA CUE
PARTIDA

Solución: en la página 212

nes, hombres y mujeres cubiertos de pinturas blancas y amarillas.

Las chicas se quedaron boquiabiertas.

¡Conque aquello era *la montaña dentro de la montaña*!

Mientras seguían allí PETRIFICADAS por el asombro, oyeron una voz a sus espaldas:

—¡Salud, EXTRANJERAS! ¿Estáis buscando algo?

Eran los aborígenes que las habían seguido.

Los tres eran muy ancianos y llevaban sus largas cabelleras blancas **recogidas** sobre la cabeza. Se presentaron:

—Yo soy Bopa.

—Yo soy Napa.

—Y yo soy Luisa.

Las chicas preguntaron sorprendidas:

—¿Luisa?

Ella se echó a reír.

—¡Es que a mis padres les *encantaban* los nombres raros!

Nicky les preguntó si podía hablar con los ancianos SABIOS de la tribu de Naya.

—¡Nosotros somos los ancianos! —respondieron.

Y las *invitaron* a sentarse alrededor del fuego.

En las ollas hervía una sopa aromática, y les ofrecieron un plato a cada una.

Mientras comían, Nicky contó todo lo ocurrido.

—Naya, mi tata, me habló de una raíz que cura todas las enfermedades, incluso la intoxicación por **PLOMO**. Me dijo que la habían descubierto ustedes, los *ancianos*.

Los tres estallaron en **carcajadas**. Bopa señaló el medallón de Nicky y dijo:

—Pero ¡si llevas la raíz encima!

Nicky no podía creerlo.

—¿Quieren decir que... este collar...?

Napa asintió con la cabeza.

—¡EXACTO! EL MEDALLÓN ESTÁ HECHO CON LA RAÍZ QUE

Las chicas del Club de Tea se mostraron incrédulas y... **DIVERTIDAS** ante la afirmación de Napa.

Habían emprendido una larguísima, apasionante e increíble **AVENTURA** buscando algo que Nicky, en realidad... ¡llevaba encima!

Luisa le dio a Nicky la *valiosa* receta:

—Coge un trocito de medallón y ponlo a cocer en cincuenta litros de **AGUA**. Deja que hierva a fuego lento tres horas. Puedes añadir un poco de sal. ¡A las ovejas les gusta!

Nicky quería iniciar en seguida el **VIAJE** de vuelta, pero en ese instante un grito desesperado resonó en la cueva:

S.O.S.

MAC CARDIGAN, EL CABEZOTA

¿Qué había ocurrido? ¿Quién había gritado?

¡Había sido Mortimer Mac Cardigan!

Retrocedamos un poco: habíamos dejado a Mac Cardigan durmiendo al pie de la montaña, a la *sombra* de una roca...

El exceso de calor y el cansancio habían podido con él.

Durmió muy **PROFUNDAMENTE** y soñó que era el ganadero más importante de toda Australia.

Mejor dicho, ¡del MUNDO entero!

Cientos, miles, millones de ovejas,

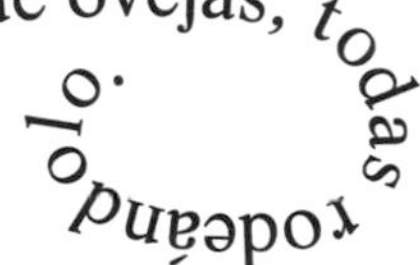

Mortimer Mac Cardigan, el mayor ganadero del mundo.

Pero dormir muy profundamente tenía un extraño efecto sobre Mortimer, ya que era sonámbulo.

Mac Cardigan se levantó y empezó a subir una cuesta de la montaña con los ojos cerrados.

Mientras, había oscurecido.

Avanzó paso a paso por un estrecho sendero con los brazos extendidos hacia adelante.

Como tenía los ojos cerrados, se golpeó la cabeza con un saliente de ROCA.

—*¡Ay, qué dolor!*

Entonces se despertó sobresaltado y se agarró a un matorral lleno de ESPINAS.

—*¡Ay, qué dolor tan tremendo!*

A continuación, cayó por un barranco sin dejar de gritar:

—*¡Ay, qué dolor tremendísimo!* ¡SOCORRO!

Eso era lo que había sucedido. Ése era el grito que las chicas del **CLUB DE TEA** y los ancianos habían oído desde la cueva.

Pero no fueron los únicos en acudir alarmados tras oírlo: lo mismo hizo Bob Mac Cardigan, que había seguido a las cinco muchachas a escondidas hasta aquel momento.

Cinco collares especiales

Bob, que había llegado a la cueva donde estaban, se acercó a Nicky:

—Tienes motivos de sobra para estar enfadada. Mi padre se ha portado mal contigo. Pero en nombre de nuestra vieja amistad, te ruego que me ayudes a sacarlo del barranco.

Sin pensárselo dos veces, Nicky cogió una cuerda y miró a los tres aborígenes, Bopa, Napa y Luisa. Les estaba pidiendo su aprobación en silencio.

Los tres SABIOS sonrieron satisfechos.

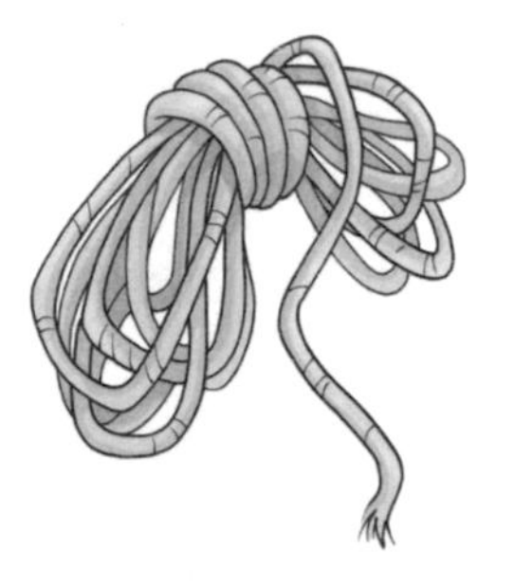

—¡Qué chica tan GENEROSA! —susurró Bopa.

—¡Guapa, buena y generosa! —añadió Napa.

—¡Afortunado el que se *case* con ella! —concluyó Luisa.

Encontrar a Mac Cardigan fue sencillo. Lo **difícil** fue convencerlo para que aceptara la ayuda de Nicky.

Por suerte Mortimer se asió a la cuerda con todas sus **FUERZAS** y pudo salir del barranco.

Bob y su padre se abrazaron tímidamente. Quién sabe, tal vez Mortimer había aprendido la lección.

Todos regresaron a la cueva sanos y salvos. Había llegado el momento de despedirse.

Los sabios les regalaron a las chicas del **CLUB DE TEA** cinco collares especiales, símbolo de amistad eterna.

Por su parte, Bob y Mortimer prometieron no revelarle a nadie el camino secreto que conducía a la cueva de los ancianos.

Bopa, Napa y Luisa se despidieron de las chicas con *afecto*. Luisa se acercó a Nicky y la abrazó:

—Y ahora vete, pequeña. ¡Tus ovejas te necesitan! Eres una chica muy valiente, y tienes unas amigas muy especiales que te **quieren mucho**. ¡Conservad siempre esta amistad tan maravillosa!

Nicky abrazó fuerte a Luisa y le dio las gracias. ¡Ya podía volver a casa!

UNA ROSA PARA NICKY

El remedio del 'medallón hervido' funcionó a las mil maravillas. ¡A las ovejas les encantó!

Unos días después, la lana empezó a crecerles mucho más tupida que antes.

¡LA GRANJA ESTABA A SALVO!

Las ovejas estaban listas para participar en el Gran Esquileo, y Naya no tendría problemas para vender la lana.

Las chicas del **CLUB DE TEA** le contaron a Naya su aventura. La tata quiso saber todos los detalles de su viaje a Nepaburra y del encuentro con los ANCIANOS de la tribu.

Nicky habló por teléfono con sus padres, que ya iban de ***VUELTA*** a casa.

Ambos estaban impacientes por ver a su hija y conocer a sus extraordinarias amigas.

Naya abrazó a Nicky muy fuerte.

—Estoy muy orgullosa de ti —le dijo.

—Todo ha sido gracias a tu medallón, NAYA —aseguró Nicky, y le devolvió el collar.

—Querrás decir tu medallón —repuso la tata sonriendo—. Ahora es tuyo, pequeña. ¡Te lo has ganado!

A Nicky se le llenaron los ojos de lágrimas.

¡Aquello había que celebrarlo! Naya organizó una gran fiesta: preparó platos deliciosos y contrató a una orquesta, los Ratones del Desierto. Asistieron todos: el doctor Ted, Lilly y Mitch y Billy con su furgoneta pintada de flores.

Violet tocó el violín mientras Pamela la acompañaba con los bastones rítmicos. Paulina cantó una hermosa canción y Colette le hizo los coros. Nicky realizó una serie de ejercicios acrobáticos a lomos de Stella, su yegua.

¡GRAN FIESTA EN LA GRANJA!

Violet tocó el violín.
Pamela la acompañó con los bastones rítmicos.
Colette hizo los coros.
Paulina cantó una hermosa canción.
Nicky realizó acrobacias a caballo.

¡Fue un espectáculo MORROCOTUDO!

Todos aplaudieron hasta que les dolieron las patas.

De repente, a medianoche, se oyó un avión que sobrevolaba la granja. Cada vez estaba más cerca.

¡Era el avión de Mortimer Mac Cardigan!

Mac Cardigan lanzó un bidón atado a un paracaídas.

Nicky palideció:

—¡No puede ser! ¡Otra vez no! —exclamó.

El bidón tocó tierra suavemente, y luego RODÓ hasta llegar al pie del escenario de la orquesta. Los **Ratones del Desierto** dejaron de tocar. Por un instante, reinó un silencio cargado de **tensión**. Nicky se acercó al bidón y vio que llevaba pegada una nota de Mortimer Mac Cardigan:

Querida Nicky: Lamento haber intentado perjudicar tu granja. Lo cierto es que me daban envidia vuestras ovejas, pero ahora comprendo que obré mal. Acepta este regalo para vuestra fiesta. ¿Podrás perdonarme algún día?

Nicky sonrió y olió el contenido del bidón: ¡era zumo de manzana!

Todos **rieron** y aplaudieron.

Luego vio que había otra cosa pegada al bidón: era una *rosa roja* con una tarjeta: *Para Nicky, de parte de Bob.*

Aquella rosa era como una promesa. Nicky aspiró su perfume y se ruborizó. Quién sabe, tal vez algún día...

Pero no había tiempo para pensar en esos asuntos: ¡la orquesta había empezado a tocar de nuevo!

Y así, entre canciones y bailes, terminó la aventura superratónica del **CLUB DE TEA** en Australia.

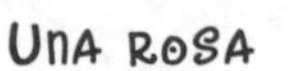

Una **AVENTURA** que jamás olvidarían.
Una aventura que había consolidado su **increíble amistad.**
Al día siguiente, emprenderían el regreso a la UNIVERSIDAD DE RATFORD. ¡Tenían que estudiar para los **exámenes**!
Y quizá llegarían nuevos problemas y **dificultades** que deberían resolver.
Pero no tenían nada que temer, porque estaban juntas y... ¡eran grandes amigas!

Más que amigas, ¡hermanas!
CLUB DE TEA

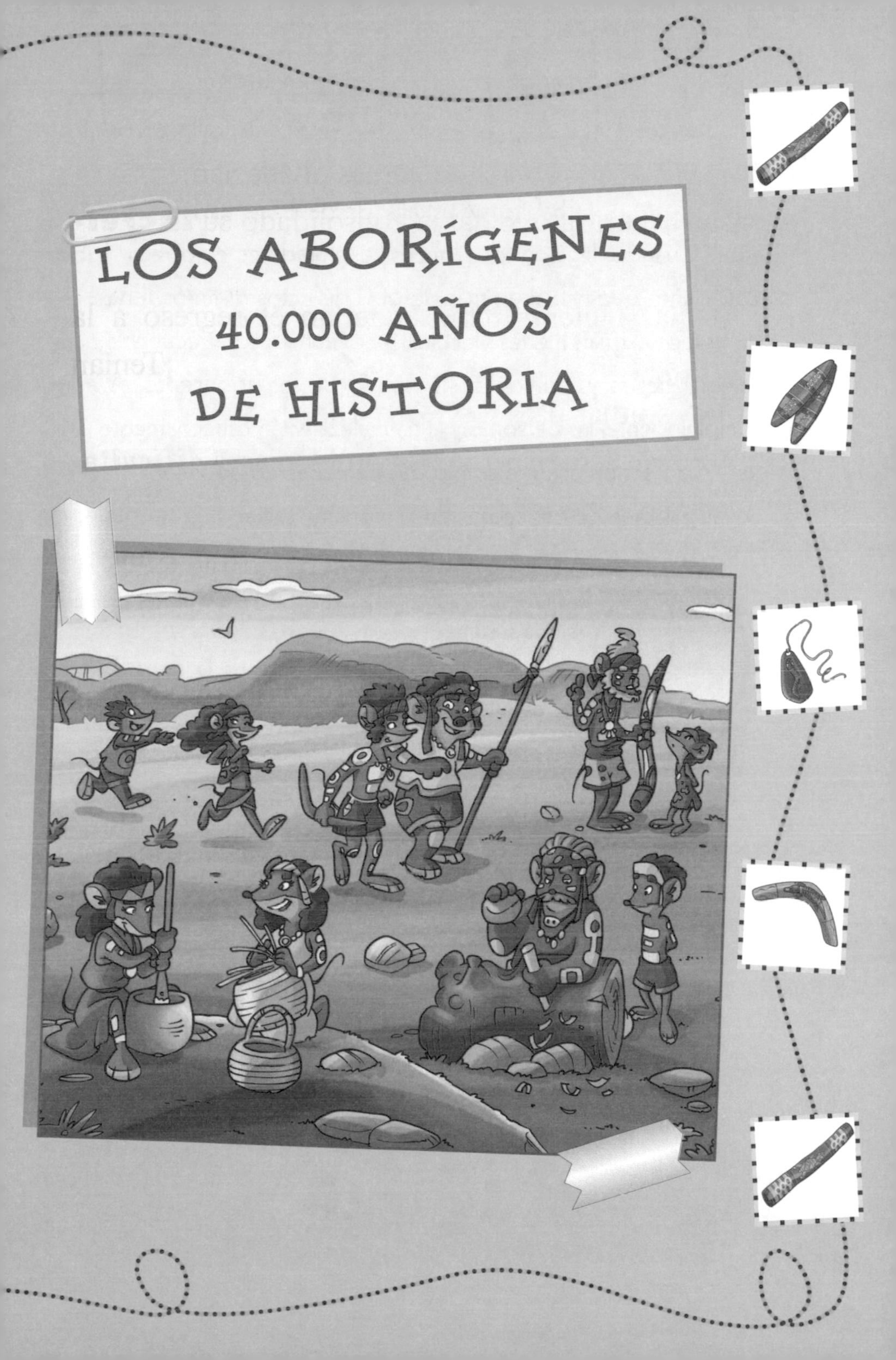

LOS ABORÍGENES 40.000 AÑOS DE HISTORIA

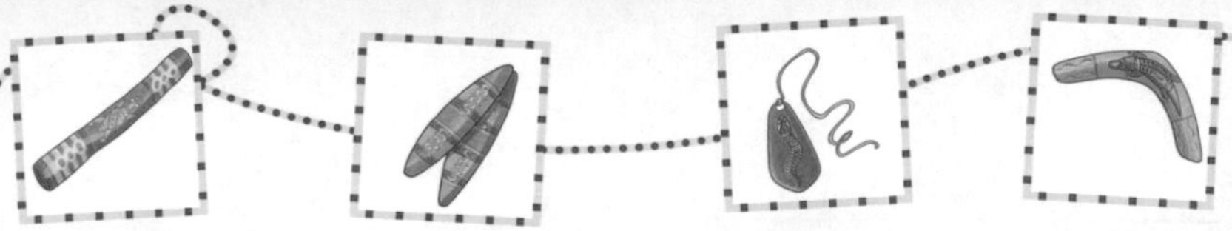

Los **aborígenes** habitan Australia desde hace más de 40.000 años. Cuando llegaron los primeros exploradores europeos, había 250 clanes que hablaban más de 600 dialectos distintos. Entre estos grupos existían fuertes vínculos, y se reunían con frecuencia para celebrar fiestas y reuniones. El mundo de los aborígenes es muy complejo, en él las personas y la naturaleza están estrechamente unidas. Aquí tenéis algún ejemplo del pensamiento aborigen, a través de las palabras de tres sabios de la montaña sagrada:

BOPA

Bopa susurra:
'Nosotros no somos los dueños de la Tierra. La Tierra es nuestra madre. La Tierra es nuestro alimento, nuestro espíritu y nuestra identidad'.

Napa añade:
'Nosotros no tenemos fronteras ni límites. Somos parte de la Tierra, y la Tierra es parte de nosotros'.

NAPA

LUISA

'Nuestros Antepasados viajaron por la Tierra y, durante sus travesías, crearon las montañas, los árboles, los manantiales, las dunas, los pájaros, los animales y el resto de seres vivos.
Agotados por el esfuerzo de la creación, nuestros Antepasados se durmieron y se transformaron en rocas, árboles u otras cosas. Todo ello se ha convertido en lugares sagrados.'

Los **lugares sagrados** (como el monte Uluru) tienen significados especiales para todos los clanes. Los aborígenes han compuesto cantos que describen estos lugares con el fin de guardarlos en la memoria para siempre.

Los secretos del arte aborigen

Las pinturas rupestres ilustran la historia de la Creación y las leyendas del «Pueblo del Sueño» (así se llaman a sí mismos los aborígenes), que, desde hace más de 40.000 años, 'camina por la Tierra gracias al aliento de sus Antepasados'.

Los artistas aborígenes utilizaban pinceles hechos con trozos de madera. Para fabricarlos, los masticaban hasta deshilachar los extremos. También hacían pinceles con cerdas de animales o plumas atadas a un palo. A veces, el artista extendía el color con los dedos. Como lápices, usaban pedazos de carbón o de arcilla.

El arte estilo 'rayos X' es la forma de pintura aborigen más conocida. Dicho estilo consiste en retratar el aspecto externo de los seres que se pintan y también sus órganos internos o el esqueleto. Todas las figuras están representadas con mucho detalle. ¡Los aborígenes son unos expertos en anatomía!

VIVIR EN EL DESIERTO

Indicadores de agua

Los aborígenes están acostumbrados a vivir en condiciones extremas. A lo largo de varios milenios han aprendido a conocer los secretos de la naturaleza. Así, por ejemplo, los insectos son muy útiles para descubrir reservas de agua escondidas: las abejas, las hormigas y las moscas suelen vivir cerca de ésta. En cambio, las serpientes y los pájaros beben poco, y por tanto no son buenos indicadores de agua.

Planta multiusos

La XANTHORRHOEA: sus flores producen mucho néctar, sus hojas son comestibles y su resina se utiliza como pegamento.

Venenosas pero exquisitas

Antes de utilizar las semillas de burrawang, es necesario aplastarlas y lavarlas durante semanas para eliminar su veneno. Tras este proceso se usan para hacer un tipo de harina ideal para pan.

¡PÍDELE A UN ADULTO QUE TE AYUDE A COCINAR!

GALLETAS DE NUECES DE MACADAMIA

La nuez de macadamia se descubrió en 1828 en la región australiana de Queensland. Es un fruto sabroso y nutritivo, perfecto para preparar pasteles y helados. Aquí tienes una receta superfácil para hacer unas deliciosas galletas.

INGREDIENTES

Ingredientes:

* 250 gramos de mantequilla
* media taza de azúcar
* una taza y media de harina
* una cucharadita de esencia de vainilla
* una taza y media de coco seco rallado
* 65 gramos de nueces de macadamia picadas

Preparación:

Mezcla la mantequilla y el azúcar hasta obtener una masa fina. Añade las nueces picadas, la harina y la vainilla y mezcla bien. Dale la forma que quieras a la pasta para hacer las galletas. Colócalas en una bandeja untada de mantequilla y espolvoréalas con el coco rallado. Mete las galletas en el horno previamente calentado a 180 grados de temperatura. Déjalas quince minutos, hasta que se doren. Espera a que se enfríen y... ¡que aproveche!

EL CLUB DE TEA
DIARIO a diez patas

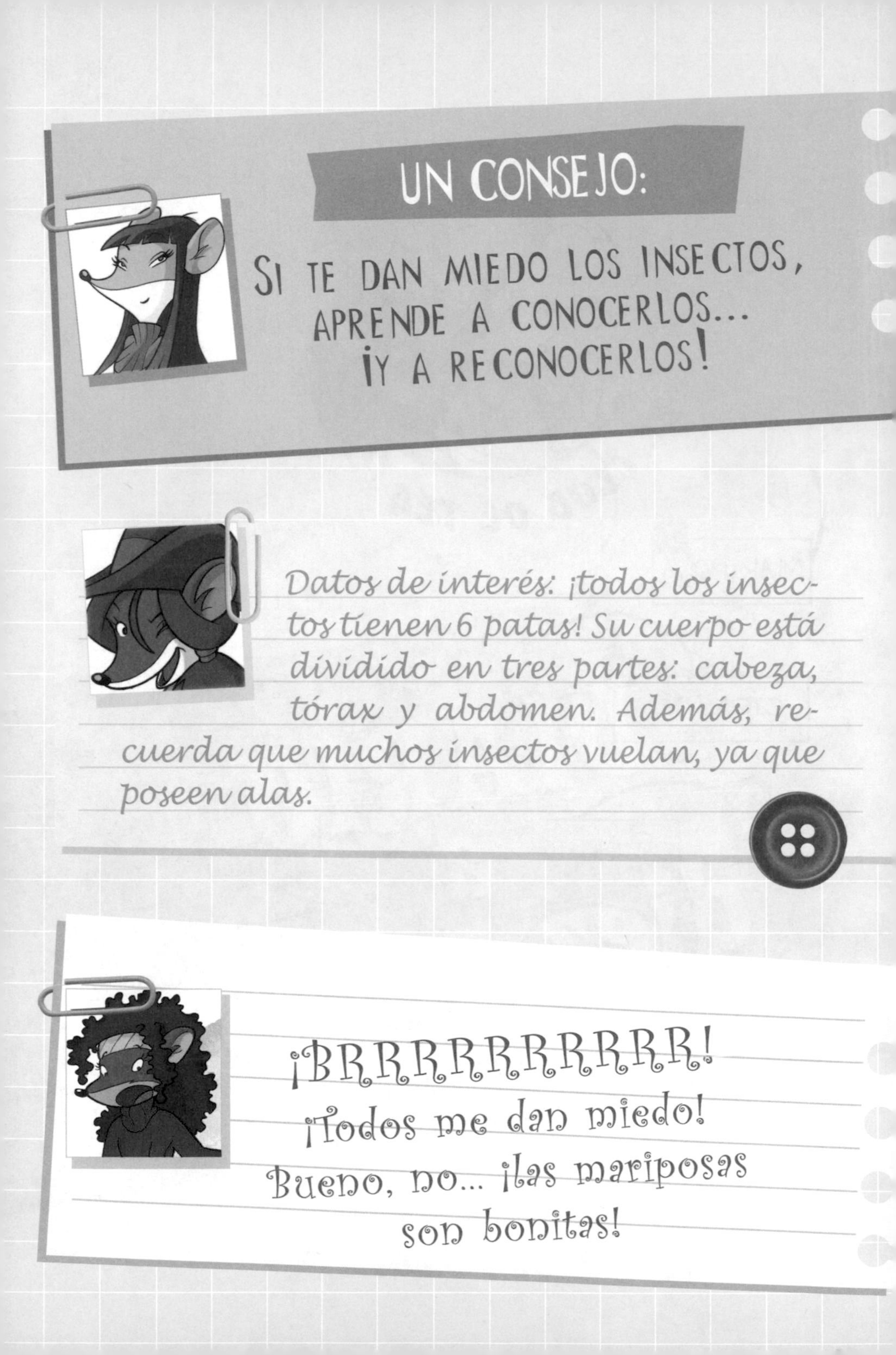
UN CONSEJO:
SI TE DAN MIEDO LOS INSECTOS, APRENDE A CONOCERLOS... ¡Y A RECONOCERLOS!
Datos de interés: ¡todos los insectos tienen 6 patas! Su cuerpo está dividido en tres partes: cabeza, tórax y abdomen. Además, recuerda que muchos insectos vuelan, ya que poseen alas.
¡BRRRRRRRRRR!
¡Todos me dan miedo!
Bueno, no... ¡las mariposas son bonitas!

¡A jugar!
Fíjate bien en estos animales: ¿cuáles de ellos son insectos?
1 MARIPOSA
2 GRILLO
3 ARAÑA
4 CIEMPIÉS
5 ABEJA
6 MARIQUITA
7 ESCORPIÓN
8 HORMIGA
9 CARACOL
10 MOSQUITO
SOLUCIONES:
1. SÍ. 2. SÍ. 3. NO, LA ARAÑA ES UN ARÁCNIDO Y, COMO TODOS LOS ANIMALES DE SU ESPECIE, TIENE OCHO PATAS. 4. NO, EL CIEMPIÉS ES UN MIRIÁPODO, TÉRMINO QUE SIGNIFICA QUE TIENE MUCHÍSIMAS PATAS. 5. SÍ. 6. SÍ. 7. NO, EL ESCORPIÓN TIENE OCHO PATAS Y ES UN ARÁCNIDO, IGUAL QUE LA ARAÑA. 8. SÍ. 9. NO, EL CARACOL ES UN MOLUSCO TERRESTRE. 10. SÍ.

Los marsupiales

Australia es el país de los *marsupiales*.

Los marsupiales son mamíferos con una característica especial: las hembras tienen una especie de 'bolsillo' en el vientre, la bolsa *marsupial*.

Dentro de esta bolsa llevan a sus crías hasta que son capaces de valerse por sí mismas.

El marsupial más conocido es el *canguro*.

También es el más grande, pues puede medir hasta dos metros (sin contar la cola). ¡Y puede dar saltos que alcanzan los nueve metros de altura!

Otros marsupiales son el *koala*, el *wallaby*, el *wombat*, la *zarigüeya*, el *demonio de Tasmania* y el veloz *bandicoot*.

TODOS SON CANGUROS

¡UNA BUENA IDEA!

Las 'riñoneras' y los 'canguros' que se usan para llevar los efectos personales están inspirados en las bolsas marsupiales.

Nicky

¡TEST!

¿Y tú qué bolso llevas?

eficiente

AFECTUOSA

AVENTURERA

Sofisticada

DESPREOCUPADA

Fíjate en los bolsos de las chicas del Club de Tea y averiguarás muchos rasgos de su personalidad. ¿Tú cuál elegirías? Ve a la página siguiente y...
'Dime qué bolso llevas'.

Colette

Respuestas al test '¿Y tú qué bolso llevas?'

Si te encantan los bolsos pequeños y elegantes en los que sólo cabe lo indispensable (según Colette, un brillo de labios), eres tan distinguida y sofisticada como ella.

Si te gusta llevar encima lo esencial y tenerlo siempre a mano, bien ordenado dentro del bolso, eres tan eficiente y juiciosa como Violet.

Pamela prefiere los pantalones con muchos bolsillos para tener las manos libres. Sus bolsos son prácticos y elegantes. Si eliges el bolso C, eres DESPREOCUPADA y distraída, como ella.

¿Has elegido el bolso grande? ¿Tu bolso es como una 'casita portátil' en la que nunca encuentras nada? Entonces eres igual que Paulina: AFECTUOSA y un poquito torpe.

Si lo tuyo son las mochilas, eres como Nicky, deportiva y AVENTURERA. Contigo hasta un breve paseo puede convertirse en una experiencia emocionante.

¡RECETA CONTRA LA NOSTALGIA!

Helado de melocotón y nueces de macadamia*

Ingredientes (para 6 personas... o 5 muy golosas)

♥ 1 taza de nueces de macadamia picadas (si no las encuentras, puedes poner nueces corrientes) ♥ 1 taza de queso ricotta ♥ 250 g de melocotones ♥ 1 cucharadita de vainilla ♥ 2 cucharaditas de azúcar ♥ 3 melocotones frescos o en conserva (para la guarnición).

PIDE AYUDA A UN ADULTO PARA PREPARAR ESTA RECETA

Preparación: tritura en la batidora (mejor si es eléctrica) el queso, los 250 g de melocotones, la vainilla y el azúcar. Mézclalo con cuidado para obtener una crema densa. Prepara 6 (o 5) copas heladas y vierte primero los melocotones, luego la crema y encima las nueces de macadamia (o nueces corrientes) picadas.

Querida Nicky, cuando eches de menos tu hogar, consuélate con tu postre preferido. Ya verás... cada bocado te provocará una sonrisa.

*La nuez de macadamia es un fruto seco muy sabroso originario de Australia.

QUERIDA MARÍA:

Hoy se ha cumplido uno de los sueños de mi vida: he sostenido en mis brazos nada menos que a... ¡UN KOALA!

Estábamos en un bosque de eucaliptos y, de pronto, oímos unos ruidos muy raros. Miramos a nuestro alrededor y vimos un pequeño koala.

¡Pobrecillo! Se había caído en un hoyo profundo y no podía salir.

Me apresuré a recogerlo. ¡Era tan mono! Mientras lo sostenía en mis brazos, el animal temblaba un poco.

Más tarde volvimos a verlo encaramado a un árbol. Se sujetaba con las patas a otro koala más grande. ¡Era su madre!

Ese pequeño koala me recordó a ti, hermanita.

Tu hermana mayor que te quiere mucho, muchísimo...

tu

PAULINA

¡Por mil motores motorizados!

¡Australia es un lugar increíble! ¡Un país alucinante! Es tan raro que casi parece otro planeta. Está lleno de plantas y animales que no se encuentran en ninguna otra parte del mundo.

Por ejemplo, ¿sabes qué ocurrió la otra noche?

Después de haber pasado todo el día bajo un sol abrasador, nos detuvimos a la orilla de un río. ¡Qué maravilla! Di un par de saltos y... ¡HOP!, me zambullí. El agua fría me activó los motores, pero de pronto grité:

—¡AAAAHHHH! ¡Socorro! ¡ALGO me ha rozado la pata!

¿Y qué era ese ALGO? Tenía pico de pato y cola de castor. ¿Qué era?

Pamela

Animales australianos peculiares

EL ORNITORRINCO

Longitud del cuerpo: 40/50 cm.
Peso: entre 1 y 2 kg.
Longitud del pico: 5,5 cm.

El animal más raro que existe

Tiene un pico semejante al de los patos y es palmípedo. Sin embargo, tiene unas uñas grandes, igual que los topos.

Excava túneles que pueden tener hasta 18 metros de longitud.

Los machos tienen dos espolones venenosos detrás de las patas.

Come (¡puag!) peces pequeños, ranas y renacuajos.

Es un mamífero y da de mamar a sus crías, pero pone huevos como las aves y los reptiles (¡menudo lío!).

Su cola es parecida a la de un castor. Come plantas que crecen en el fondo del agua, lombrices, renacuajos y otros invertebrados, así como algunos vegetales.

El ornitorrinco vive en lagos, ríos y torrentes situados en la costa este de Australia y en Tasmania.

... pero que muy peculiares

¿Verdad que es monísimo?

El koala casi no bebe, ya que come hojas de eucalipto y éstas le aportan toda el agua que necesita.

Como viven en lo alto de los eucaliptos, los koalas huelen igual que las pastillas para la tos. Lo cierto es que el aceite esencial de eucalipto se utiliza mucho en medicina. Quizá gracias a su olor, en el suave pelo del koala nunca hay parásitos.

El kookaburra es el pájaro más grande de la familia de los martines pescadores. Sin embargo, vive en ambientes áridos, lejos del agua. Caza al vuelo insectos, lagartijas, serpientes, roedores... pero ¡nunca peces!

El emú es el ave más grande que existe después del avestruz. Cuando corre, puede alcanzar una velocidad de 50 km por hora. Los huevos son de color verde esmeralda y los incuba el macho.

La habitación de Nicky

A mis amigas del Club de Tea les gusta mucho mi habitación. Aquí conservo todos mis recuerdos y mis objetos preferidos. ¿Sabes por qué tengo dos camas? Porque, como en Australia las distancias son tan largas, si una amiga viene a visitarme, suele quedarse varios días. ¡Y yo la recibo encantada!

Un pequeño jardín (para que luego digan que no se me da bien la jardinería)

Para una velada inolvidable

Los dibujos de la alfombra, las cortinas y la colcha son obra de Naya. ¿Qué haría yo sin ella?

MI SUPERDESVÁN

Mochilas viejas, zapatillas de deporte raídas, botas de trekking destrozadas... Aunque ya estén inservibles, soy incapaz de tirar mis equipos de deporte.

Por suerte, en el rancho tenemos un superdesván y todos mis trastos viejos terminan ahí, dentro de grandes cajas de colores.

Papá, mamá y Naya no están de acuerdo, pero yo soy una sentimental... ¡no puedo evitarlo!

Nicky

Aquí están mis libros favoritos. He leído muchos más, pero éstos son muy especiales para mí.
¡Viva el surf!
A los once años gané mi primera carrera rural con estas zapatillas.
SURF
Éste es Wally, mi primer caballo.
Mis mochilas 'históricas'.
Ésta es mi tabla de surf preferida (se llama Petunia).

EL ARTE DE LA JARDINERÍA

El jardín de Nicky

Nicky tiene algo que me encanta, pero no está en su habitación, sino en el balcón: es un pequeño y espléndido jardín hecho con brotes.

Coge una patata grande. Hazle dos agujeros en medio y coloca dentro de ellos dos semillas de berro. En poco tiempo, saldrán brotes similares a cabellos verdes. Pinta unos ojos, una nariz y una boca debajo del «cabello» y ¡ya está! Si las patatas tienen grillos, puedes hacer caras muy cómicas con narices grandes.

Extiende un paño húmedo (de franela, algodón o lino; también puedes usar papel de cocina) en el alféizar de la ventana. Coloca las semillas (de lentejas, berros...) de modo que formen una palabra (por ejemplo, tu nombre). Recuerda que el paño debe estar húmedo, pero no muy mojado... ¡y mantén alejados a los pajaritos!

NICKY

Pon unas cuantas semillas de lenteja en una maceta con agua. Muy pronto brotarán con formas curiosas y divertidas.

DEPORTE

¡VIVA EL SURF!

Australia es uno de los destinos preferidos de los amantes del surf. El **SURF** es un deporte que inventaron los indígenas de Polinesia (un grupo de islas del océano Pacífico). El explorador inglés *James Cook* fue el primer europeo que habló de esta actividad. En 1777 vio cómo unos indígenas de las islas Hawai se deslizaban por el agua haciendo equilibrios sobre largas tablas de madera. Los surfistas expertos pueden «cabalgar» olas enormes encima de estas tablas.

Las **TABLAS DE SURF** pueden medir desde 1,80 hasta 3 metros. A la hora de elegir una tabla, hay que tener en cuenta la altura de las olas y la capacidad del surfista. Para los principiantes, se aconseja tablas grandes, ya que flotan mejor y es más fácil subirse a ellas.

Para no resbalar, a la tabla se le da una capa de cera llamada parafina.

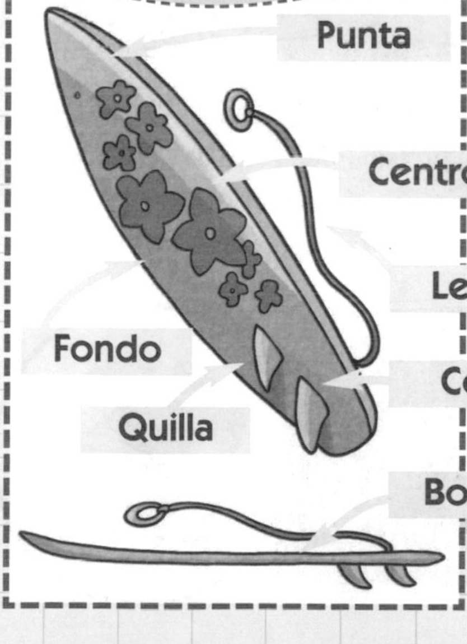

El 'leasli' o lazo es un accesorio de la tabla que se ata al tobillo del surfista. De este modo, si se cae, las olas no arrastran la tabla. Los surfistas expertos llevan el 'leasli' sujeto al tobillo derecho. En cambio, los principiantes lo llevan en el izquierdo.

¡Cabalgando sobre las olas!

El surf es un deporte exigente que requiere una buena preparación física... y mucha prudencia. Éstas son las principales normas que debes seguir para mantenerte en pie sobre la tabla:

Entra en el mar tumbado sobre la tabla boca abajo y con las piernas juntas, y aléjate de la orilla remando con las manos. No es fácil: ¡para conseguirlo hay que tener los músculos de los brazos entrenados!

Para evitar que se te lleve la corriente, haz un 'duck dive', es decir, hunde la punta de la tabla bajo la ola. Para ello, debes presionar con un pie la parte posterior.

Llega la ola que estabas esperando... ¡es la hora del 'take off'!: cógete a los bordes de la tabla, ponte de pie y extiende los brazos para mantener el equilibrio. Un último consejo: para empezar, prueba con olas pequeñas.

¡A JUGAR!

La alfombra de Naya

Parece un SUDOKU, pero es la alfombra que Naya está tejiendo para mí. Ayúdala a colocar los dibujos que faltan. Recuerda que TODOS los recuadros, líneas y columnas deben contener los 6 dibujos, y que ninguno debe estar repetido.

Soluciones en la página 212.

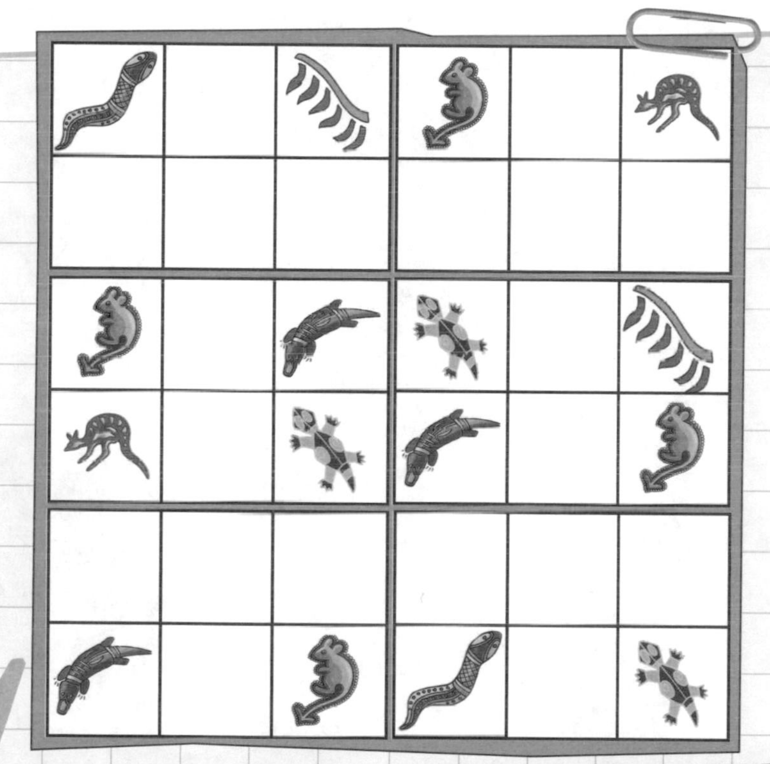

El SUDOKU es un juego originario de Japón. El nombre está formado por dos palabras: SU, que significa 'número', y DOKU, que significa 'único'. Normalmente, las cuadrículas tienen 9 líneas y 9 columnas, y se utilizan números del 1 al 9. Pero el SUDOKU deriva de un juego mucho más antiguo llamado 'cuadrado latino'. Lo inventó en el siglo XVIII Leonardo Euler, un genio de las matemáticas.

LA ESCALADA

1) Ropa cómoda. 2) Mosquetón. 3) Polvo de magnesio (sirve para evitar que las manos suden y resbalen por la montaña). 4) Zapatillas de escalada. 5) Cuerda de seguridad. 6) Arnés. 7) Casco.

¡Las reglas de la montaña!

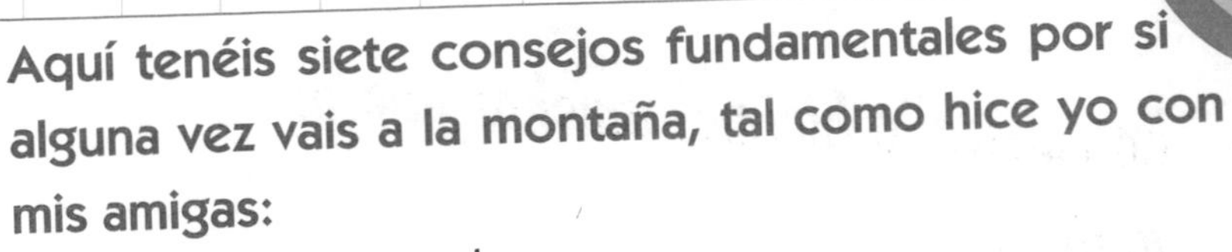

Aquí tenéis siete consejos fundamentales por si alguna vez vais a la montaña, tal como hice yo con mis amigas:

1. No vayáis nunca solos.

2. Decidles a vuestros parientes y amigos cuál es vuestro destino y qué itinerario vais a seguir.

3. Elegid cuidadosamente la ropa y el material. Lo más importante es que llevéis unas botas cómodas, que se agarren bien al terreno. Prohibidas las zapatillas de tenis, las sandalias y los tacones (¿está claro, Colette?).

4. Estudiad con atención el itinerario:

-¿Cuánto tiempo se tarda en ir y volver?

-¿Qué dificultades presenta el trayecto? ¿Podéis afrontarlas?

-¿Cuáles son las condiciones metereológicas? Si se prevén lluvias, ¡dejad la salida para otra ocasión!

5. Si se trata de una excursión muy complicada, siempre es mejor ir acompañados de un guía que conozca la zona.

6. Haced paradas con frecuencia, no esperéis a sentiros cansados. Si os quedáis sin fuerzas, volved.

7. Llevad agua, barritas energéticas, linterna, tiritas, toallitas desinfectantes y un teléfono móvil con la batería cargada.

¡TEST!
En Australia hicimos muchos nuevos amigos.
¿Quién es tu preferido?
Ted, el dinámico
Billy, el simpático
Mitch, el protector
Bob, el tímido romántico
Mortimer Mac Cardigan, el... ¡ejem! ¡mejor no decir nada!

BILLY

Si has elegido a Billy, el simpático, eres alegre, despreocupada y te gusta rodearte de personas divertidas que no te compliquen la vida.

TED

Si has elegido al doctor Ted, eres una persona comprometida y altruista. Te gusta mantener relaciones sinceras con tus amigos, pero necesitas tu independencia.

MITCH

Si has elegido a Mitch, el atractivo guardabosques, eres sincera y reflexiva. No haces amigos con facilidad, pero cuando entablas amistad con alguien, es para siempre.

BOB

Si has elegido a Bob, el tímido, eres tierna y protectora. No te fías de las primeras impresiones e intentas conocer bien a las personas antes de ofrecerles tu amistad.

MORTIMER

¿Has elegido a Mac Cardigan? ¿Estás segura? Eso significa que eres el colmo del optimismo, que siempre ves el lado bueno de todo el mundo. ¡Qué suerte la tuya!

¡Más aventuras!

¿Camellos en Australia?

Creí que estaba viendo **visiones**.

«Cálmate, Colette, y lávate el pelo», me dije.

Pero era cierto: eran camellos de verdad, con su camellero y todo. ¡No podía perderme aquello!

Al volver ya no estaba tan contenta. Tenía el estómago revuelto. Al camello lo llaman 'la nave del desierto', y ahora comprendo por qué: ¡en cuanto montas en uno te mareas!

El camello fue introducido en Australia a finales del siglo XIX, procedente de Afganistán. Eran indispensables para transportar mercancías por el desierto, ya que, por aquel entonces, aún no existían los trenes ni los camiones. Cuando se inventaron los nuevos medios de transporte, se dejó libres a los camellos. Estos animales viven muy bien en Australia y se encuentran muy a gusto; hoy en día hay más de 500.000 en todo el país.

¡Nunca, pero nunca más! *Colette*

Belleza: los consejos de Colette

¡Qué dura es la vida del cabello en Australia! El sol y el viento lo castigan mucho. Y si encima os metéis en un billabong, tal como me ocurrió a mí, entonces la cosa es fatal. Sin embargo, Lilly tiene el pelo muy brillante. '*¿Cómo lo hará?*', me pregunté. Pues bien, Lilly me contó su secreto: cuece pulpa de **GARLIWIRRI** y se la aplica en el cabello. El **GARLIWIRRI** es una raíz y, según me han dicho, su pulpa cruda también se utiliza para hacer chicles.

Recetas superfáciles

Para aclarar el cabello: preparad un litro de manzanilla concentrada (¡pedid ayuda a un adulto!) y añadidle el zumo de un limón. Cuando el líquido esté templado, lavaos el pelo con él y luego dejad que se seque al sol. La manzanilla aclara el cabello castaño y da reflejos dorados al cabello rubio.

Para dar reflejos al cabello oscuro: lavaos el pelo y aclaradlo con té negro concentrado. Si añadís un poco de vinagre al agua en el último aclarado, el cabello quedará muy brillante. Pero ¡tened cuidado con los ojos!

DECORACIÓN FLORAL

Una flor es un bonito recuerdo

¿Sabíais que la mimosa (su nombre en latín es *Acacia dealbata*) es originaria de Australia? Recogí una ramita de mimosa para conservarla como recuerdo y la he guardado entre las páginas de un libro. Cuando la ramita se seque, decoraré con ella una foto de este viaje.

En las tiendas de bricolaje venden prensas para secar flores y hojas, pero también puedes meterlas entre las páginas de un libro grueso (mejor aún si las pones entre dos hojas de papel secante, así no mancharás el libro). También puedes utilizar hojas de periódico y colocarles encima algún objeto pesado. Cuando las flores estén bien secas, pégalas con cola en tarjetas, puntos de libro, fotos... ¡Resultan muy decorativas!

Merienda australiana

¿Queréis sorprender a vuestros amigos con una merienda australiana? Mi querida tata Naya me contó el secreto de su superpastel de queso.

Recuerda: para cocinar, pide siempre ayuda a un adulto.

PASTEL DE QUESO CON BROCHETAS

Ingredientes:

Para el pastel: 500 g. de harina; 1/2 taza de nueces de macadamia (o nueces corrientes) troceadas; 2 huevos; 125 g. de mantequilla; 150 g. de queso curado rallado; leche; levadura en sobre. Para las brochetas: trozos de queso y frutas tropicales cortados a dados.

Preparación:

Bate los huevos, añade la mantequilla fundida, el queso rallado, las nueces y la leche necesaria para formar una masa cremosa. Diluye la levadura en 1/2 vaso de leche y añádelo a la masa. Viértelo todo en una fuente untada de mantequilla y espolvoreada con harina. Calienta el horno a temperatura media y cuécelo todo durante una hora aproximadamente. Mientras, prepara las brochetas. Cuando el pastel se enfríe, clava las brochetas encima y... ¡listo! ¡Ya puedes servirlo!

¡TEST!
¿Eres... una buena amiga?
INICIO
¿Cómo te sientes cuando estás con tus amigas?
A. Más fuerte
B. Más alegre
A
B
¿Eres capaz de renunciar a algo importante por una amiga?
A. Sí, pero intento que no me cueste mucho
B. Sí, a lo que sea
A
B
¿Eres amiga de todas por igual?
A. Tengo una amiga especial, pero también quiero a las demás
B. Sí, no hago distinciones
A
B
Perfil 1
Eres una buena amiga, siempre estás alegre y abierta a las demás. Pero ten cuidado: intenta no decepcionar y que no te decepcionen. ¡La amistad es mucho más que una diversión!
Perfil 2
La amistad es un sentimiento muy importante para ti. Esfuérzate por conocer mejor a tus amigas, vuestra relación se enriquecerá.

… ¡sigue los pasos del Club de Tea y lo averiguarás!

¿Tus amigas confían en ti?
A. Soy su confidente preferida
B. Entre nosotras no hay secretos
A
B
Si una amiga traiciona tu confianza…
A. Te duele, pero le das otra oportunidad
B. Siempre la perdonas
A
B
Si una amiga te decepciona en un momento importante…
A. Piensas que las decepciones ayudan a conocerse mejor y a estrechar la amistad
B. No le das gran importancia
B
A

Perfil 3

Tu amistad es igual que tú, sensata y equilibrada. Quienes pueden contar contigo son muy afortunados. Un consejo: no escuches sólo a tu cabeza y haz caso también a tu corazón.

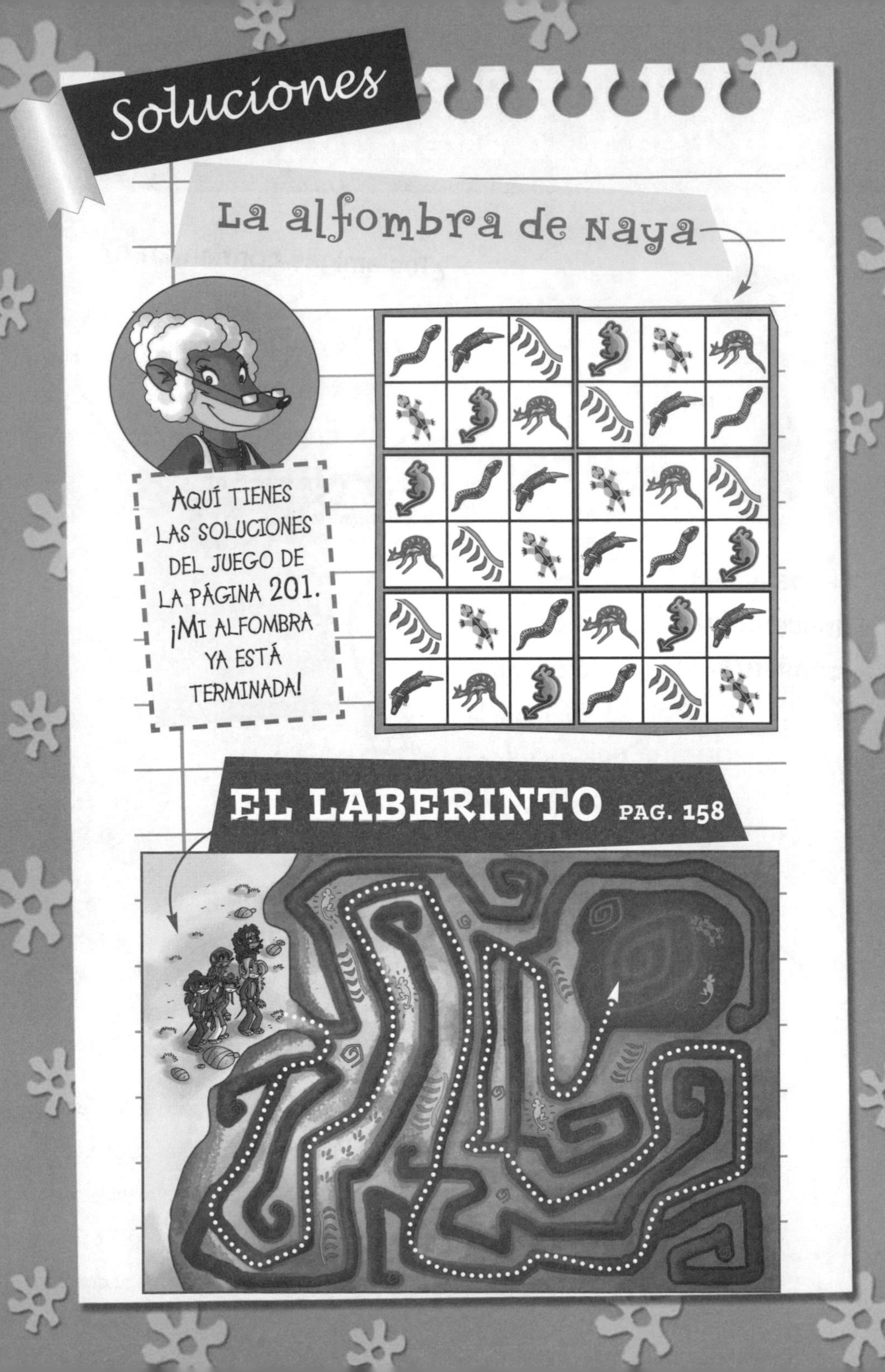
Soluciones
La alfombra de Naya
AQUÍ TIENES LAS SOLUCIONES DEL JUEGO DE LA PÁGINA 201. ¡MI ALFOMBRA YA ESTÁ TERMINADA!
EL LABERINTO PAG. 158

Amigas por correo

EL CLUB DE TEA

Quieres escribir al CLUB DE TEA?

¿Quieres escribirte con Pamela, Paulina, Nicky, Violet y Colette?
¿Te apetece contarles tus aventuras dignas de una chica del Club de Tea?
Escribe un e-mail a la siguiente dirección:

elclubdetea@planeta.es

Debes recordar poner la dirección de e-mail de tu padre, madre o tutor, ya que le deberemos pedir que te autorice a recibir e-mails de El Club de Tea.

¡Hasta pronto!
EL CLUB DE TEA

Los datos que nos proporciones serán incorporados a nuestros ficheros con el fin de poder ofrecerte información sobre nuestras publicaciones y ofertas comerciales. Tú o tus padres podéis acceder a tus datos, cancelarlos o rectificarlos en caso de ser erróneos, dirigiéndote por carta a EDITORIAL PLANETA, Área Infantil y Juvenil, Departamento de Marketing. Avda. Diagonal, 662-664, 6ª planta, 08034 Barcelona.

ÍNDICE

En la próxima aventura...

LA CIUDAD DE LAS NUBES

Para ayudar a un viejo amigo que tiene problemas, Paulina no duda en viajar a Perú. Como siempre, sus amigas del Club de Tea la acompañan, y todas juntas viven una nueva e increíble aventura.

Las chicas van en busca de un arqueólogo en peligro y llegan hasta el Machu Picchu. Allí tendrán que enfrentarse a muchos peligros: cimas inaccesibles, un temible cóndor gigante y una banda fuera de la ley que es capaz de todo para hacerse con el secreto de la Ciudad Perdida de los Incas.

❑ 1. Mi nombre es Stilton, Geronimo Stilton

❑ 2. En busca de la maravilla perdida

❑ 3. El misterioso manuscrito de Nostrarratus

❑ 4. El castillo de Roca Tacaña

❑ 5. Un disparatado viaje a Ratikistán

❑ 6. La carrera más loca del mundo

❑ 7. La sonrisa de Mona Ratisa

❑ 8. El galeón de los gatos piratas

❑ 9. ¡Quita esas patas, Caraqueso!

❑ 10. El misterio del tesoro desaparecido

❑ 11. Cuatro ratones en la Selva Negra

❑ 12. El fantasma del metro

❑ 13. El amor es como el queso

❑ 14. El castillo de Zampachicha Miaumiau

❑ 15. ¡Agarraos los bigotes... que llega Ratigoni!

❑ 16. Tras la pista del yeti

❑ 17. El misterio de la pirámide de queso

❑ 18. El secreto de la familia Tenebrax

❑ 19. ¿Querías vacaciones, Stilton?

❑ 20. Un ratón educado no se tira ratopedos

❑ 21. ¿Quién ha raptado a Lánguida?

❑ 22. El extraño caso de la Rata Apestosa

❑ 23. ¡Tontorratón quien llegue el último!

❑ 24. ¡Qué vacaciones tan superratónicas!

❑ 25. Halloween... ¡qué miedo!

❑ 26. ¡Menudo canguelo en el Kilimanjaro!

❑ 27. Cuatro ratones en el Salvaje Oeste

❑ 28. Los mejores juegos para tus vacaciones

❑ 29. El extraño caso de la noche de Halloween

❑ 30. ¡Es Navidad, Stilton!

❑ 31. El extraño caso del Calamar Gigante

❑ 32. ¡Por mil quesos de bola... he ganado la lotorratón!

❑ 33. El misterio del ojo de esmeralda

❑ 34. El libro de los juegos de viaje

DE

PRÓXIMA

APARICIÓN

❑ 35. ¡Un superratónico día... de campeonato!

¿Te gustaría ser miembro del CLUB STILTON?

Sólo tienes que enviarme un e-mail con tus datos (nombre y apellidos, dirección, código postal y fecha de nacimiento) a **stilton@planeta.es** y te convertirás en ratosocio/a. Así podré informarte de todas mis novedades y de las promociones que pongamos en marcha.

¡PALABRA DE GERONIMO STILTON!

PRUEBA DE COMPRA
TEA STILTON
N° 2

N
S
ISLA
DE LAS BALLENAS
1
2
3
4
5
6
7
8
9
10
11
11
12
13
14
15
16
17
18
19
20
21
22
23
24
25

La Isla de las Ballenas

1. Pico del Halcón
2. Observatorio Astronómico
3. Monte Despeñadero
4. Instalaciones fotovoltaicas para la energía solar
5. Llanura del Chivo
6. Punta de los Vientos
7. Playa de las Tortugas
8. Playa Playera
9. Universidad de Ratford
10. Río Lapa
11. Antigua Quesería: fonda y sede de la empresa Ratonáutica, Transportes Marítimos
12. Puerto
13. Casa de los Calamar
14. Zanzibazar
15. Bahía de las Mariposas
16. Punta del Mejillón
17. Arrecife del Faro
18. Arrecifes del Cormorán
19. Bosque de los Ruiseñores
20. Villa Marea: Laboratorio de Biología Marina
21. Bosque de los Halcones
22. Gruta del Viento
23. Gruta de la Foca
24. Islote de las Gaviotas
25. Playa de los Burritos

¡Nos veremos
en la próxima aventura!

UNIVERSIDAD
DE
R
RATFORD